Bylchau

Bylchau

Ysgrifau Mynydd a Thaith

IOAN BOWEN REES

CAERDYDD
GWASG PRIFYSGOL CYMRU
1995

ISBN 0-7083-1328-0

Mae cofnod catalogio'r gyfrol hon ar gael gan y Llyfrgell Brydeinig

Dymuna'r cyhoeddwyr gydnabod cymorth Adran Olygyddol y Cyngor Llyfrau Cymraeg.

Dyluniwyd y clawr gan John Garland, Pentan Design Practice, Caerdydd
Cysodwyd yng Ngwasg Prifysgol Cymru, Caerdydd
Argraffwyd yng Nghymru yng Ngwasg Dinefwr, Llandybïe

Cynnwys

I MARGARET

Un Cymraeg y tro hwn

'Mein Buch ist kein Sportbuch . . . Es ist ein Dank.'

(*Nid llyfr chwaraeon mo'r llyfr . . . Diolch ydyw.*)

Julius Kugy, *Aus dem Leben eines Bergsteigers*

Rhagair
Pam 'Bylchau'?

Tua diwedd 1973, cyhoeddwyd fy nghasgliad cyntaf o ysgrifau mynydd dan y teitl gwreiddiol, beiddgar *Mynyddoedd*. Oherwydd galwadau cynyddol fy ngwaith beunyddiol, ychydig a sgrifennais wedyn ar y pwnc hwn nes ymddeol o lywodraeth leol yn 1991. Salwch, yn wir, a roddodd gyfle imi fyfyrio am fylchau'r Grischun yn 1987 a chynnig ysgrif ar rai ohonynt i olygyddion *Taliesin*, lle'r oedd Islwyn Ffowc Elis a Tecwyn Lloyd wedi estyn croeso i'm hanes yn esgyn y Mont Blanc mor bell yn ôl ag 1965. Byddwn yn arfer gweld un o'r golygyddion, Bedwyr Lewis Jones, ar gae rygbi Bethesda, lle'r oedd ei fab Huw yn ymddisgleirio ar yr asgell. Bedwyr a'm gwahoddodd i sgrifennu eto ar gyfer *Taliesin*, am y Carneddau; yna, ar faes Eisteddfod Genedlaethol Aberystwyth, gofynnodd am yr ysgrif ar Macchu Picchu a dderbyniwyd gan ei olynwyr, Gerwyn Williams a John Rowlands, yn 1994. Dyna'r tro olaf imi weld Bedwyr: gofidiaf na chefais gyfle yn ystod ei fywyd i ddiolch mewn print am anogaeth un yr oedd ei chwaeth lenyddol mor gain, a'i gyfraniad personol i fywyd Gwynedd a Chymru mor hanfodol; cyplysaf Eleri hithau, a'r teulu i gyd, â'm dyled iddo.

'Cip ar Himalaya Nepal', efallai, oedd y cyfiawnhad pennaf

dros gyhoeddi *Mynyddoedd*. 'Cip Sydyn ar Yuraq Janka' (sef Cordillera Blanca Periw, lle cerddais dros dri bwlch uchel yn 1987) yw'r ysgrif gyfatebol yma. Mae'n ymddangos am y tro cyntaf: felly hefyd ail adran 'Tri Bwlch yn y Grischun' ('Dau Fwlch' yn unig a ymddangosodd yn *Taliesin*) a 'Croesi'r Greina'. A 'Croesi'r Greina' yn y wasg, cyhoeddwyd cyfrol fwrdd coffi hardd, *La Greina, Das Hochtal zwischen Sumvitg und Blenio*, gan yr SGS, y corff cenedlaethol a sefydlwyd i warchod y waun uchel hon rhag cynllun trydan-dŵr. Herbert Maeder, Llywydd yr SGS, ffotograffydd proffesiynol wrth ei alwedigaeth, ac aelod seneddol Annibynnol, a'i golygodd. Mae'r gyfrol yn manylu ar hanes yr ymgyrch ac yn cadarnhau fy marn fod yr ymgyrchwyr lleol a chenedlaethol llwyddiannus wedi pwysleisio budd economaidd cymunedau mynyddig lawn cymaint â gwarchod yr amgylchedd. Mae'n bosibl, fodd bynnag, fy mod wedi bod yn rhy garedig ynglŷn ag agwedd y sefydliad Ffederal yn ei grynswth. Crybwyllais y gwersi i Gymru eisoes mewn ysgrif ar ddiwydiant trydan-dŵr y Grischun yn fy nghyfrol, *Cymuned a Chenedl, Ysgrifau ar Ymreolaeth* (Llandysul, 1993) a'm pamffledyn yn y gyfres 'Changing Wales', *Beyond National Parks* (Llandysul, 1995). Un arall o nodweddion cyfrol Maeder yw cerdd ryddiaith hir gan y bardd Rheto-romaneg, Leo Tuor, ynghyd â chyfieithiad Almaeneg.

Yn 1989, ymddangosodd 'Disappointment Peak (11,618'): Siom ar yr Ochr Orau' gyda ffotograffau, yn *Galwad y Mynydd*, cylchgrawn Bwrdd Hyfforddi Arweinwyr Mynydd Cymru – corff y cefais y fraint o'i gadeirio o'i sefydlu yn 1980 hyd at 1990. Cyfraniad i'r *Faner* yn 1977 oedd 'Hydref yn Mayrhofen' a gyhoeddwyd yno dan y teitl 'Dyffryn Ziller ac Innsbruck'. Diolchaf i'r holl olygyddion a chyhoeddwyr perthnasol am eu nawdd, ac i Ned Thomas, Cyfarwyddwr Gwasg y Brifysgol, yntau am ei werthfawrogiad o'm pwnc ac am ei gefnogaeth. A'm teipysgrif mor amlieithog, onid ecsotig, ar brydiau, hoffwn hefyd gydnabod fy nyled i'r uwch-olygydd Susan Jenkins, i gysodwyr y Wasg ac i'r argraffwyr.

Pam *Bylchau* y tro hwn? Nid oherwydd fy mod, fel maswyr

Cymru gynt, yn medru gweld bylchau ymhobman a symud trwyddynt yn chwim; nid oherwydd y bylchau cynyddol ymhlith fy nghydnabod; nid, yn y bôn, oherwydd bod bylchau yn dilyn mynyddoedd yng nghyfres glasurol Clwb Alpaidd Llundain, *Peaks, Passes and Glaciers*, y cyfrannodd John Llewelyn Davies hanes esgyniad cyntaf y Dom iddi; ond, yn bennaf, oherwydd bod oeri'r gwaed, moethusrwydd, diffyg ymarfer a chyfrifoldeb wedi'm cyfyngu, wrth agosáu at fy nhrigain oed, i fylchau'r cadwyni mawr yn hytrach na'u copaon. Efallai y dylwn fod wedi ceisio dwyn i gof rai o'r troeon mwy anturus gynt. Pam y mae'r unig fynydd gweddol fawr imi ei esgyn yn Wyoming yn haeddu ysgrif, ac esgyn y Dom neu'r Bernina ar hyd ellyn y Spedla neu'r Wildspitze o'r Taschachhaus, neu hyd yn oed y Piz Grialetsch, solo, wedi mynd i ebargofiant? Ymhlith y bylchau hwythau, pam y Greina ar fy mhen fy hun, yn hytrach na bwlch uchel Allalin gyda'm mab Gruff (newydd gael ei ben-blwydd yn bedair ar ddeg) a dau neu dri mynyddwr gwir adnabyddus, er eu bod hwythau hefyd yn tynnu ymlaen o ran oedran? Ac ymhlith y 189 bwlch a wnaeth y Grischun yn baradwys i fynyddwr dros yr hanner cant, neu dan bymtheg, pam y Scaletta rwydd yn hytrach na Fuorcla Crast'Agüzza (3601m) neu hollt wyllt Pass digls Orgels rhwng Bravuogn a Tinizong, neu'r fwyaf deheuol o'r ddwy Fuorcla Mulix unig, unig, anwrthsafadwy rhwng Naz a'r Val d'Err? Rhan o'r ateb ydyw'r mewnblygrwydd sy'n codi wrth fod ar eich pen eich hunan – ac felly ar lwybr rhwydd – neu gyda dieithriaid, yr awydd i adrodd yr hanes i'r rhai sy'n arfer rhannu'r profiad. Ond y mae'r awen yn chwythu lle y mynno ac yn ôl safonau heddiw ni fûm erioed fawr o ddringwr. Er gwaethaf fy hoffter o ysgrifau Leslie Stephen ('The First Ascent of the Bietschhorn', er enghraifft, 'The Col des Hirondelles') a Douglas Freshfield, ('. . . the curving glacier of Val Bondasca filled the space beneath the smooth cliff-faces, and at one spot a gap between them irresistibly suggested a new pass for the morrow') o hunangofiant Julius Kugy (*Aus dem Leben eines Bergsteigers*) ac o nofelau Frison-Roche (yn enwedig *Premier de cordée*) gall sgrifennu heb fod ynddo gopa, bwlch na glasier, fod ymhlith y sgrifennu mynydd gorau i mi: O.M. Edwards yn peintio cefndir cartref, dyweder, Charles-Ferdinand Ramuz yn naddu cofebau háfotai coll y Valais: gwir mai'r glasier, ar un ystyr, ydyw prif gymeriad *Derborence* a *La Grande Peur dans la montagne* ond mynyddoedd a phobl wâr yn byw yn eu plith sydd yma, nid meysydd chwarae na pharciau cenedlaethol nac anialdir diderfyn, er bod y bobl hynny yn byw yn agosach nag arfer at natur, at rym yr elfennau, efallai at Dduw a Diafol hefyd:

> dans le fond du pâturage, venait aussi le glacier qui pendait là, peint en belles couleurs de même que toute la combe; et ces belles couleurs toutes ensemble leur venaient contre; mais c'est à peine s'ils y ont fait attention, c'est autre chose qui les intéressait.

Beth bynnag am hynny, amgylchiadau yn unig a'm rhwystrodd rhag cynnwys yma hanes ambell fwlch arall neu gopa rhwydd. Swynwyd Margaret a minnau gan fynyddoedd Nyanga ar ffin ddwyreiniol Zimbabwe, gan bentrefi tai-gwellt eu porfeydd toreithiog a chan eu golygfeydd di-ben-draw dros wastadedd ymddangosiadol baradwysaidd Mozambique. Pyramidiau cyntefig yw llawer o'r copaon ond nid ymddangosai'r uchaf oll, Nyangani (2592m), yn fwy o her na Phumlumon Fawr gan fod yr holl wlad mor uchel. Prin ddwyawr o'r copa, fe'm gwaharddwyd rhag rhoi cynnig arno gan ein cydymaith am y dydd, Dirprwy Glerc Cyngor Dinas Mutare, nid rhag ofn terfysgwyr Mozambique, ond oherwydd bod pobl yn dal i ddiflannu yno oddi ar wyneb y ddaear, heb unrhyw esboniad ond dewiniaeth. Erbyn meddwl, trigai cythreuliaid ar uchelfennau'r Valais hefyd ychydig dros ganrif yn ôl.

Ond aruthredd y Drakensberg rhwng Lesotho a Kwazulu Natal a achosodd y rhwystredigaeth fwyaf. Wrth weithredu fel sylwebydd cydwladol yn ystod Etholiad Cyffredinol aml-hiliol cyntaf De Affrica yn 1994, llwyddais i fachu etholaeth a'i phen draw yng ngodre'r Drakensberg; gellid cymharu safle gorsaf bleidleisio Tendele, yn ymyl gwarchodfa natur Kamberg, i eiddo Ysgol Rhydygorlan, tan Rhobell Fawr, lle'r oedd pobl Abergeirw yn arfer pleidleisio i Gwynfor. Mwy na hynny, yr oedd gennyf gydymaith ddewr a oedd *wedi* rhoi cynnig ar Nyangani – gan fynd ar goll, yn anesboniadwy wrth gwrs, heb gyrraedd y copa. Nid dewiniaeth a'n rhwystrodd rhag croesi'r bwlch rhwng Tendele a theyrnas Lesotho, na threiddio yn uwch nag esgeiriau dieithr Mdedelelo (3149m) ond pwysau ac argyfyngau'r etholiad.

Fel y mae'n digwydd, yng Ngwlad yr Ndebele – cangen o'r Zulu – y ganed fy nhad, ar odre'r diriogaeth lle chwiliai arwyr Rider Haggard am fwynfeydd Solomon a Sheba: Aurfryn oedd ei enw bedydd. Un o'r llyfrau cyntaf a roddodd imi i'w ddarllen oedd *Prester John*, a osodwyd gan John Buchan yn y darn o'r Drakensberg sy'n ymestyn i Ddwyrain y Transvaal. Imperialydd Prydeinig mawr oedd Buchan, ac eto Albanwr mawr mewn traddodiad na lwyddodd Toriaid Cymru i'w efelychu eto. Ar ei waethaf, ac er gwaethaf hiliaeth y cyfnod (1910), ni fedrodd ymatal rhag creu arwr o'r Zulu tal o weinidog yr Efengyl a gynllwyniai yn ogofâu'r Drakensberg i adfer hen ymerodraeth chwedlonol Prester John, ymerodraeth ddu, Gristnogol fel Ethiopia. Ar un ystyr – ddigon bras – mae John Laputa Buchan fel petai'n rhagfynegi Mandela a chydag ef a'i debyg yr oedd cydymdeimlad fy nheulu i erioed. Tebyg fy mod wedi colli profiad mynydd ysgytwol yn y Drakensberg felly. Yn sicr, ni chyfansoddais ddim am Affrica a weddai i'r casgliad hwn. Ond gwelais dyrau'r Drakensberg yn feunyddiol megis Eryri o Lanfaes, lle ganed un o'm pedwar hen-daid cyn croesi i'r tir mawr, neu fur Ardudwy o'r ffordd fawr rhwng y Ganllwyd a Thrawsfynydd. Gwelais hwy droeon yn nes na hynny, weithiau tan eira cynta'r gaeaf, weithiau tan haul crasboeth, ddwywaith mewn cryn bryder, yna tan ollyngdod mawr. Soniodd Parry-Williams o leiaf deirgwaith mewn ysgrif neu ar gân am 'hud enwau a phellter'. Os cafodd ef 'lonydd am yn hir . . . gan yr enwau pell' ar ôl ymweld â Valparaiso, grymuso'n wastad y bydd gafael enw arnaf finnau ar ôl imi weld ei berchen yn y cnawd. Nid ymddiheuraf am bentyrru enwau lleoedd amryw o ieithoedd trwy gydol y gyfrol hon. Ni allai'r bardd mwyaf eneiniedig ragori arnynt. Bellach, rhaid ychwanegu atynt Langalibalele, bwlch a enwyd ar ôl y pennaeth a ffodd trwyddo gyda'i bobl rhag y Saeson yn 1873, ac Afon Mlahlangubu omkhulu, a chrib iNkangala, a Thaba Ntlenyana (3482m) copa uchaf deheubarth Affrica: ysywaeth, ni allaf ynganu cliciau'r Zulu yn iawn fel y gallai 'nhad.

Pysgotwyr, yn hytrach na mynyddwyr, sy'n cael sôn am 'y rhai a ddihangodd'. Rhaid ymatal rhag trafod arall fyd dyrau dolomît Brenta, gan mai un prynhawn a gefais i grwydro at yr eira uwchben Madonna di Campiglio, ar ôl rhyw bwyllgor Ewropeaidd yn Bozen – rhwng dau fws, a rhwng dau dymor hefyd. Cefais olwg hydrefol glir arnynt o ben Monte Stivo ym mhen Llyn Garda hefyd; hyd yn oed yng nghwmni gwyn yr Adamello a'r Presanella, ac ugeiniau o gopaon eraill miniog glas, gyda'r Bernina ei hun ymhell bell i'r gogledd, teimlwn mai mynyddwr annigonol iawn oeddwn heb fod wedi profi'r Cima neu'r Fulmini di Brenta: chwedl Freshfield, 'as if by some sudden enchantment we found ourselves amongst richer forests, purer streams, more fantastic crags . . . how could limestone take the form and subtle colours of flame?'

Salwch stumog a ddaeth rhyngof a'r Canigou lluniaidd, Gwyddfa'r Catalaniaid ac efaill Arennig Fawr ymhlith darluniau Innes; ond cynhadledd Ewropeaidd a roddodd gyfle imi ei ganfod o waliau Girona, yn dalog awdurdodol, tan drwch o eira, fel yr Wyddfa o lethau dwyreiniol Dyffryn Clwyd, neu – ar dywydd clir – Mynydd Kenya o Nairobi. Mynydd Kenya! Y fyddin a'm symudodd o Nairobi i Lusaka newydd imi gyfarfod Albanwr profiadol a pharod i roi cynnig arno, a chyfarfod hefyd Wyn Harris, un o esgynwyr cyntaf Nelion, yr ail gopa, ac un o deulu'r bardd Dewi Wyn o Eifion; ef oedd Llywydd Cymdeithas Gymreig Nairobi a Llywodraethwr Kenya. Pedair ar bymtheg oed oeddwn innau ar y pryd. Bellach, nid ymddengys y byddaf yn medru mentro i'r Pireneau, hyd yn oed, ac esgyn y gadwyn a ddarganfu Margaret a minnau wrth dorri taith yn hen ddinas Gatalan La Seu d'Urgell (Seo de Urgel) yn 1994: dim ond 2647m yw uchder Puig de la Canal Baridana, copa uchaf Serra del Cadi, ar ochr ddeheuol y gwir Bireneau. Wedi mynd â'r car i fyny ffordd erchyll ddi-fetal at bentref anghyfannedd Cava, a'i eglwys yn mynd â'i phen iddi yng nghanol rhosod gwylltion, a cherdded tua'r mynydd am awr, roedd y gadwyn yn ein taro fel Cadair Idris uwch, garwach a mwy unig. Wrth reswm, ni allai fod mor amrywiol ei harddwch â Chadair Idris uwchben Afon Mawddach ond y mae swyn poeth, caled y Deau ar anadl ei garreg galch a'i bentrefi coll, a'r ochr draw iddo, ar yr ochr ddeheuol, y cwyd y Pedraforca, sy'n enwog am ei siâp trawiadol ac am ddringfeydd craig ei fur gogleddol.

Os nad yw'r Baridana yn debyg o fod fawr caletach na Phen-y-gadair, faint callach wyf fi o grybwyll y naill na'r llall yn awr? Heb sôn am fylchau fel Fuorcla Zadrell a'r Pass da la Prasignola. Tua blwyddyn yn ôl bellach, wedi imi grafangu a bustachu i fyny Llymllwyd, oddi ar y llwybr gan amlaf, nogiodd fy nghalon tan gopa'r Garn − hynny yw, fy nghalon yn llythrennol: mae'r llall yn eiddo i Margaret erioed. Ni fûm yn uwch na Thrwsgl ar y Carneddau, a Moel Eilian, a Phumlumon o Eisteddfa Gurig, ers hynny. Ond rwyf newydd groesi'r mynydd o Wern-y-gof Uchaf at Benygwryd, ar hyd Braich y Ddeugwm a heibio Drws Nodded a Llyn Caseg Fraith. Yn haul Mehefin, ni welais erioed fwy o hafnau ac agennau a rhychau a grisiau ar wyneb dwyreiniol Tryfan; ni fu Crib Wrychiog y Gluder Fach erioed mor wrychiog ei gwrychau ychwaith. Tan awyr las a weddai i Davos, ymhlith meini crwydrol hen lasierau'r cynfyd, ni allwn gredu wrth ddadebru ar ôl tamaid o ginio nad y Winterlücke oedd Bwlch Tryfan, a minnau ar y ffordd dros y Jöriflesspass i'r Engadin Isaf. Ond yr ochr draw, ni ellid fod wedi camgymryd Yr Wyddfa a'i chwiorydd am fynyddoedd o'r byd a'r amser hwn: cadernid craig, cyfaredd llun a lliw, celfyddyd cydosod hefyd wrth i'r Grib Goch brifio − wrth ddod o olwg Llyn Cwmffynnon − o fod yn asen ddu yn ystlys yr Wyddfa i fod yn saeth gydradd, bron, mewn coron driphlyg uchel: hyn i gyd ynghyd â rhyw awgrym o gaer Arthuraidd a noddfa a dinas nefol: Eryri Wen y beirdd, yn wyn, nid tan eira, ond tan fendith.

Llawlyfr Carnedd Llywelyn

YN YSTOD y nos, yn ddwy ar bymtheg oed, yr esgynnais Garnedd Llywelyn gyntaf. Un o nosau golau leuad Bethesda oedd hi i fod ond, fel sy'n digwydd bob tro, yn y niwl y buom y rhan fwyaf o'r amser, yn y niwl hwnnw sydd 'not on map', chwedl un o ffrindiau ein hen gymydog Dafydd Coed wrth ymateb i hunandyb criw o Saeson dibrofiad a fentrodd dros ei ffridd. Cofiaf gael ambell gip wrth gerdded y grib fain rhwng yr Elan a'r Garnedd ar y lleuad yn ffoi rhagom trwy garpiau'r niwl. Cofiaf unfrydedd y fintai nad oedd hi'n werth aros ar y copa i weld y wawr. Cofiaf ateb ein harweinydd pan godais amheuon ynghylch ein llwybr i lawr, rywle tu draw i Foel Grach: 'If we were in Russia, you'd be shot for that remark.' Gan fod y lleill wedi bod yn y Rhyfel, fi oedd y ieuengaf o ryw ddwsin o fyfyrwyr dwys, ond mynyddoedd fel hyn – Cadair Idris a Diffwys, Rhobell ac Aran Fawddwy – oedd fy nghynefin i, a'r map modfedd oedd fy meibl – hen fap fy mam yn yr achos hwn, argraffiad lliw 1910 ar liain, wedi ei gywiro hyd at 1914, un harddach na'r fersiynau cyfoes, gyda'r mynyddoedd wedi eu lliwio â llinellau olion bysedd yn yr hen ddull. Yn y man gwelodd yr arweinydd yn dda i wyro i'r gogledd-orllewin ar hyd yr Aryg. Dychwelasom i'r ffordd fawr

1

trwy law mân, oerllyd, i lawr Gurn Wiga a heibio Ciltwllan.

Mae gan Alun Llywelyn-Williams gân hyfryd am ddod i lawr o'r mynydd at dyddyn Tynyfedw yng Nghynllwyd, ac yntau'n fachgen o Gaerdydd 'heb etifedd, heb ran yn y tir', a heb syniad mai yno, ymhen hanner canrif, y buasai cartref 'dwy genhedlaeth newydd o'm gwaed a'm teulu crwydr'. Wrth grymu fy mhen tan y niwl ar Gurn Wiga y bore hwnnw, buaswn innau hefyd wedi synnu clywed mai ar y tyddyn acw ar y dde, Tal Cae, yr uchaf ond un yng Nghwm Ffrydlas, y buasai Non fy merch ac Emyr ei gŵr yn magu fy wyrion, Cai a Llŷr.

Prin yr adeg honno, mor fuan ar ôl yr Ail Ryfel Byd, y buaswn wedi medru bod yn ffyddiog ynghylch iaith y wyrion ychwaith. Ond yr oedd y fam yr etifeddais ei map modfedd o Eryri, a'i chopi o *Yr Haf a Cherddi Eraill* o ran hynny, wedi bod wrth draed Ifor Williams ym Mangor ar yr union adeg pan ddechreuodd ddarlithio ar y Gymraeg trwy gyfrwng y Gymraeg. Ac wrth edrych yn ôl, sylweddolaf mai un o'r ffactorau a'm cadwodd o fewn clyw'r Gymraeg yn ystod arddegau Prydeinig cyfnod y rhyfel oedd cyfaredd sgyrsiau radio Ifor Williams, sgyrsiau nad oedd yr un o'r teulu am eu colli. Fe sylweddola'r cyfarwydd ein bod wedi dod i lawr o Garnedd Llywelyn, ar doriad y wawr wleb honno yn 1946, ar hyd yr union lwybr a esgynnodd Ifor Williams, tan ofal ei ewyrth Cilfodan, i gymryd rhan yn Helfa'r Fraich, 'yr helfa fawr oedd yn rhwydo holl ddefaid Carnedd Llywelyn mewn un noson'. Dros hanner can mlynedd wedyn y soniodd am y profiad, mewn sgwrs dan y pennawd 'I'r Mynydd'. Rhywle y tu draw i Gurn Wiga roedd ei ewyrth wedi dweud, 'Ewch chi hefo mab Bryn Eithin . . . Mae o'n mynd ymhellach na neb, i war y mynydd, yn union y tu ôl i ben Carnedd Llywelyn. Mi'r ydw i'n troi rŵan i'r lle'r ydw i i fod.' Gwyddai pob aelod o'r fintai fawr ble i fynd a phryd i fynd, ond pan ofynnodd Ifor Williams i fab Bryn Eithin pwy oedd wedi trefnu ei safle ef, 'Ni wyddai: dim ond hyn, fod bugail Bryn Eithin i fod yno ar doriad y wawr, fore Helfa'r Fraich, yn ôl hen, hen arfer.' Un o wyrion 'mab Bryn Eithin' yw Ieuan Wyn sy'n sôn am yr un cynefin yn ei gerddi – am linach Bryn Eithin, am y defaid yn dod i lawr at

Lidiart y Graean rhag y lluwch ar Gurn Wiga, ac am lwynogod yr Aryg.

Ni wn am well darn o ryddiaith mynydd mewn unrhyw iaith nag 'I'r Mynydd' Ifor Williams onid efallai ysgrif wahanol iawn gan Tecwyn Lloyd ar y Sŵn ym Merwyn. Pan fentrais innau roi cynnig ar gyfrol ar hanes mynydda sgrifennodd Mam at ei hen athro ynghylch sillafiad cywir Craig Cau ar Gadair Idris, craig bwysig iawn yn hanes Owen Glynne Jones, arloeswr mwyaf dringo creigiau yng ngwledydd Prydain. Daeth ateb manwl dros ben yn y man, er gwaethaf y sylw 'yr wyf dros 80 ac felly yn hen ŵr cibddall a ffwndrus'. Ac ar ddiwedd y llythyr, y geiriau hyn a drysoraf, 'Pob hwyl i'r bachgen am gyhoeddi ei lyfr yn Gymraeg. Dringed i'r uchelion!'

&

Ni wyddwn hyd yn gymharol ddiweddar fod taid Ifor Williams, y bardd a'r hynafiaethydd Hugh Derfel Hughes (1816–1890), a weithiai fel pwyswr yn Chwarel y Penrhyn, hefyd yn dipyn o fynyddwr. Gwyddwn, wrth gwrs, am y gyfrol hanfodol honno, *Hynafiaethau Llandegai a Llanllechid*, ond ar ôl bod yn byw yn Llanllechid am rai blynyddoedd y clywais am yr unig gopi y gwyddai neb amdano o'i *Llawlyfr Carnedd Llewelyn*. Ffrwyth cystadleuaeth am 'Law-lyfr i ben Carnedd Llewelyn, a'r mynyddoedd cylchynol' yn Eisteddfod Cymreigyddion Bethesda, a gynhaliwyd ar Ŵyl Dewi, 1864, yw hwn. Cyhoeddwyd ef yn y *Cyfansoddiadau*, ynghyd â thraethodau eraill yr eisteddfod, a'r beirniadaethau. Dau a ymgeisiodd, Gwyn ap Nudd a'r buddugwr, Trystan ap Trallwch — mae Carnedd Trystan yn amlwg ar ysgwydd ogledd-ddwyreiniol Carnedd Llywelyn. Canmolwyd y ddau gan y beirniad, Ap Vychan, gŵr a fu lawer gwaith mewn perygl yn hogyn wrth ddringo creigiau Penllyn i gasglu cen cerrig, yn ôl ei hunangofiant.

Ar ôl rhagymadrodd cyffredinol chwyddedig braidd — 'I dawelwch y mynydd y byddai Prynwr y byd yn ymneillduo ar ôl llafur y dydd i gymdeithasu â'i Dad; ac yn wir ymddengys y byddai duwiolion a rhai rhagorol y ddaear felly ymhob oes' —

rhennir y llawlyfr rhwng tri llwybr i gopa'r Garnedd. Mae'r 'daith ferraf' yn cychwyn o'r Gerlan ac yn mynd heibio i Waunygwiail i Gwm Pen Llafar cyn anelu am y copa, naill ai o Fwlch Du, y bwlch rhwng yr Elan a'r Garnedd, neu Adwy (neu Fwlch) Cyfrwy Drum, rhwng y Garnedd ac Ysgolion Duon. Yr ail ddewis a gymeradwyir a dyma'r llwybr arferol heddiw ond bod pobl yn cychwyn heibio Tŷ Slaters, ar ochr orllewinol Afon Llafar, yn hytrach na heibio i Waunygwiail. Ar ôl disgrifio'r olygfa o'r copa gydag arddeliad, arweinir ni yn ôl at Waunygwiail trwy Gwm Caseg.

Uwchben Nant Ffrancon, ar hyd Braich Melyn a Chefn yr Orsedd, at Fwlch Carreg y Frân, rhwng Pen yr Ole Wen a Charnedd Ddafydd, yr awn yr ail dro, llwybr sy'n cael ei esgeuluso braidd heddiw er ei fod yn rhagori o ran diddordeb ar y daith arferol i ben Carnedd Ddafydd, ymhellach i'r dwyrain. Wedi cyrraedd copa Carnedd Ddafydd, awn ymlaen ar hyd y grib i Garnedd Llywelyn, gan ddychwelyd ar hyd yr Aryg, heibio i'r Bera Bach a'r Drosgl − Trwsgl yn ôl y llawlyfr ac ar lafar heddiw − i Gilfodan. Yn wahanol i fugeiliaid Ifor Williams, fodd bynnag, deuwn i lawr Waun Cws Mai a Chwm Ffrydlas yn hytrach na defnyddio ysgwydd sad Gurn Wiga. Tybed a yw'r Waun yn fwy corslyd erbyn hyn nag ydoedd dros ganrif a chwarter yn ôl? Ar y Waun yr oedd Foty'r Famaeth, lle ganed Twm Siôn Cati, yn ôl traddodiad lleol, ar ôl i'w dad, John Wyn o Wydir, anfon Cati Jones, ei fam, dros y mynydd i guddio'r gwarth. Yn ôl Lewis Dwnn, a'r *Cydymaith*, Cati ei hun oedd y plentyn anghyfreithlon, a Maredudd, tad John Wyn ac hen daid y Syr John Wynn o Wydir enwog, oedd y tad − gŵr o Geredigion oedd tad Twm. Ar y Waun hefyd yr oedd Foty Lowri Galed, merch Sychnant, a oedd yn enwog fel meddyg.

Mae'r drydedd daith yn cychwyn o Fangor, gyda cherbyd, gan adael y ffordd fawr ym mhen uchaf Llyn Ogwen a chyrraedd Adwy Cyfrwy Drum heibio i fferm Bodesi, a dychwelyd yr un ffordd. Yn ôl cyflwr y mynydd heddiw dyma lwybr gwannaf y llawlyfr, er gwaethaf ei uniongyrchedd. Gwell o lawer yw esgyn crib ddeheuol Pen yr Ole Wen uwchben Ffynnon Lloer, a mynd ymlaen dros Garnedd Ddafydd, neu adael y ffordd fawr yng nghyffiniau Helyg a chyrraedd Carnedd Llywelyn heibio i Ffynnon Llugwy a chopa Craig yr Ysfa. Ar y copa, mae Huw Derfel yn cyfeirio at y grib ddwyreiniol hon fel llwybr o Gwm Eigiau, ar ochr Dyffryn Conwy i'r mynydd: 'Ust!' meddai, 'dyna sŵn ergydion Chwarel Cwm Eigia; ac y mae yn ddifyr gan ein calon, yn yr uchelderau hyn, glywed sŵn, ie, rhyw arwyddion o fywyd yn rhywle, gan ein bod ymhell o olwg pob llygad dyn.' Heddiw rhaid teithio ymhell iawn o Gwm Eigiau i glywed sŵn gwaith ond anaml y cewch lonydd oddi wrth frygowthan ymwelwyr ar y copa. Nid Parc Cenedlaethol mo Eryri Huw Derfel!

❧

Ar wahân i'r Wyddfa a Chadair Idris, ychydig iawn o ymwelwyr a welid ar y mynyddoedd yn 1864. Cymharol ychydig a welid pan oeddwn innau'n fyfyriwr, o ran hynny. Hyd yn oed pan symudasom i Ddyffryn Ogwen yn 1974, nid oedd fawr ddim ôl dyn ar amryw o lwybrau diarffordd sydd bellach wedi eu herydu'n ddidrugaredd. Er hyn i gyd mae 1864, blwyddyn cyhoeddi'r llawlyfr, yn ddyddiad eithaf arwyddocaol o safbwynt datblygiad mynydda yng Ngorllewin Ewrop. Yn ystod yr union ddegawd blaenorol, roedd dringo yn yr Alpau wedi dechrau dod yn boblogaidd ymhlith pobl gefnog. Yn 1857, yn dilyn 'esgyniad Prydeinig' cyntaf y Finsteraarhorn, copa uchaf Alpau Bern, y sefydlwyd y Clwb Alpaidd yn Llundain. Roedd Cymro o'r Garreg, Llanfrothen, a oedd newydd ei wneud yn Gymrawd o'i goleg yng Nghaergrawnt, y Parchedig J.C. Williams-Ellis (Siôn Pentyrch), tad y pensaer a hen daid y llenor Robin Llywelyn, yn aelod o'r fintai. Nid ymaelododd â'r clwb ond crybwyllir yr esgyniad ar blac coffa ym Mhorth Meirion. Ddwy flynedd yn ddiweddarach, cyhoeddodd Longman gasgliad o ysgrifau gan aelodau'r clwb, *Peaks, Passes and Glaciers*, ac yn eu plith hanes esgyniad cyntaf y Dom, y mynydd uchaf sy'n perthyn yn gyfan gwbl i'r Swistir, gan y Parchedig John Llewelyn Davies, sy'n fwy adnabyddus fel un o'r Sosialwyr Cristnogol cynnar. Yn Lloegr y

5

magwyd ef, ond mab Hendre Phylip, Llanddewibrefi oedd ei dad, John Davies (1795–1861), offeiriad ac athronydd fel ei fab, ac awdur llyfr taith arall a anghofiwyd, *First Impressions – a Description of Swiss and French Scenery* (1835). I ddod yn nes adref, yn 1862 y llwyddodd Henry Morgan, mab ieuengaf ficer Conwy, i groesi'r Jungfraujoch gyda'r fintai gyntaf i lwyddo i wneud hynny, gan gyhoeddi wedyn, 'We should never have succeeded, I am convinced, had I not encouraged the party by singing snatches of Welsh songs at every possible opportunity.' Ymhen pum mlynedd i gyhoeddi'r llawlyfr byddai merch o Gwm Elan, Emmeline Lewis-Lloyd, yn rhoi cynnig ar y Matterhorn, heb gwmni dyn ar wahân i arweinwyr lleol. Roedd hithau yn un o'r ddwy neu dair merch gyntaf o unrhyw genedl i gymryd dringo yn yr Alpau o ddifrif.

Gwerthwyd 2,500 copi o *Peaks, Passes and Glaciers* yn ystod y flwyddyn gyntaf, ac yn 1863 cyhoeddwyd y 'llawlyfr' cyntaf ar ddringo'r Alpau, *Guide to the Western Alps*, John Ball (1818–1889). Aelod Seneddol Gwyddelig oedd Ball ac yn rhinwedd ei brofiad mawr yn yr Alpau gwahoddwyd ef i fod yn Llywydd cyntaf y Clwb Alpaidd er gwaethaf y ffaith ei fod yn Babydd ac yn ymreolwr. Erbyn hyn roedd ugeiniau o lyfrau ac ysgrifau wedi ymddangos yn ieithoedd mwyaf lluosog Gorllewin Ewrop yn disgrifio teithiau'r awduron trwy'r mynyddoedd ac i'w pennau, yn enwedig ynglŷn â'r Mont Blanc. Ond ni sylwais ar lawlyfr mynydd fel y cyfryw cyn cyfnod Ball, hyd yn oed yn llyfryddiaethau Claire-Elaine Engel, prif hanesydd Alpau'r Gorllewin, hyd yn oed ynglŷn â'r Mont Blanc, a ddringwyd gyntaf yn 1786. Rhaid osgoi dilyn cynifer o Saeson, fodd bynnag, ac anghofio'r ieithoedd llai a'r cadwyni llai cyfarwydd. Yn yr Alban roedd clwb mynydda, y Gaiter Club, wedi ei sefydlu wyth mlynedd o flaen y Clwb Alpaidd ond ni chafodd y ganfed ran o'r cyhoeddusrwydd a gafodd hwnnw. Tybed a oes yna lawlyfr Pwyleg cynnar ar y Tatra, neu lawlyfr Slofeneg ar Triglav, neu lawlyfr ar Canigou, y mynydd lluniaidd hwnnw sy'n gysegredig i'r Catalaniaid, ac a gyfareddodd James Dickson Innes bron cymaint ag Arennig Fawr? Pwy a ŵyr pa ddatblygiadau a fu yn

Nhransylfania neu yn Armenia? Mae digon o sôn am fynyddoedd yn hen lenyddiaeth Tseina: gellwch droi at ambell gerdd ym mlodeugerdd ddifyr Cedric Maby o gyfieithiadau i'r Gymraeg, *Y Cocatŵ Coch*, gan gynnwys 'Breuddwydio am Fynydda' a'r ogleisiol 'Mynd i'r Mynyddoedd gyda Dawnsferch Fach' gan Bo Juyi (772–846), cyfoeswr ag awdur Canu Heledd. Yn y Dwyrain Pell, nid yn y ddeunawfed ganrif ond yn y bumed, neu ynghynt, y daethpwyd i edmygu mynyddoedd yn hytrach na'u rhegi; yno roedd mynyddoedd yn ganolog i rai o'r tueddiadau crefyddol cryfaf. Mae llawer i hen wareiddiad yn llechu rhwng Ararat a Bogdo Ola. A oedd yn rhaid bod yn Rwsiad neu yn Sais i ddringo'r prif gopaon a chofnodi'r llwybrau? A barnu yn ôl y creiriau a adawyd ar eu pennau, esgynnwyd i ben pymtheg ar hugain o gopaon uchaf yr Andes cyn y bymthegfed ganrif, copaon pum a chwe mil metr bob un; ond er gwyched eu gwareiddiad materol a'u trefniadaeth ni fedrai'r Incas sgrifennu. Boed hynny fel y bo, yng Ngorllewin Ewrop mae'n deg casglu fod Huw Derfel, ac yn fwy fyth bwyllgor Eisteddfod Cymreigyddion Bethesda a'i ysgrifennydd, yr hollbresennol W. J. Parry, yn rheng flaen yr oes wrth weld angen am lawlyfr i gopa uchaf eu cylch. Yng Nghymru ei hun, hyd yn oed yn Saesneg, ni welid dim tebyg am ddeng mlynedd ar hugain arall, a dim oll ar y Carneddau yn neilltuol tan yr Ail Ryfel Byd.

Os oedd galw am lawlyfrau i'r Alpau, teithio trwy Eryri ar gynnydd, ac esgyn yr Wyddfa a Chadair Idris yng ngofal tywysydd lleol yn ffasiynol ymhlith ymwelwyr ddegawdau cyn cyhoeddi *Llawlyfr Carnedd Llewelyn*, ychydig o fynydda yng ngwir ystyr y gair a welid yng Nghymru cyn ugain mlynedd olaf y bedwaredd ganrif ar bymtheg. Yng ngwesty Harry ac Ann Owen, Penygwryd, y cychwynnodd pethau, ar raddfa fach, yn enwedig o dan ddylanwad Charles Kingsley a'i gyfeillion yn ystod y pumdegau. Mae'r hanes ar gael yn Gymraeg gan ŵr pur debyg i Huw Derfel, ond ei fod bymtheng mlynedd yn iau, sef y llenor a'r chwarelwr Glaslyn (Richard Jones Owen, 1831–1909). Ni chyhoeddodd

Glaslyn ei ysgrif ar Benygwryd yn *Cymru* tan 1901 ond yr oedd yn gyfarwydd â chriw Kingsley yn y dyddiau cynnar. Yn ôl Carneddog, a olygodd gasgliad o'i waith, roedd Kingsley 'yn arfer dod i'w siop lyfrau [ym Meddgelert] i brynu ac i ymgomio ag ef ar lenyddiaeth'. Mwy na hynny, mae'n bur amlwg mai Glaslyn ei hun oedd yr arweinydd lleol pan groesodd Tom Taylor, Cymrawd o Goleg y Drindod, Caergrawnt, ac un o gymdeithion mynydd amlycaf Kingsley, yr Wyddfa gyda'i wraig o Feddgelert i Lanberis ar eira mawr yn 1873, gyda Harry Owen yn gofalu am y ceffylau. Y gamp hon mewn tywydd garw yw uchafbwynt yr ysgrif ac mae'n amlwg fod Glaslyn, a fu ar ben yr Wyddfa 'ddegau o weithiau', wedi ffoli ar harddwch Eryri tan eira. Mae'n adrodd hanes Charles Mathews yn sefydlu 'Clwb Alpaidd Cymreig' ym Mhenygwryd yn 1870 i hyrwyddo dringo yn y gaeaf; 'The Society of Welsh Rabbits' oedd yr enw swyddogol, sy'n awgrymu mai ymarfer ar gyfer dringo o ddifrif calon yn yr Alpau yn yr haf oedd yr esgus i ddod ynghyd. Ond mae Glaslyn yn gorffen trwy gystwyo'r Cymry am beidio â'u hefelychu: 'Pa le mae aelodau Cymdeithas anrhydeddus y Cymmrodorion? Pa le mae Cymry cyfoethog dinasoedd y gwastadedd? A ydynt yn foddlon i fyw, neu yn hytrach i farw, yng nghanol brics, mortar, a mwg?'

Anodd gwybod faint o sôn am yr Alpau ac am Benygwryd a gyrhaeddodd Ddyffryn Ogwen ac ysgogi'r gystadleuaeth a'r llawlyfr. Digon tila, fel arfer, oedd y cyfeiriadau at ddringo mynyddoedd unigol yn llawlyfrau teithio cyffredinol y cyfnod, yn Eryri megis yn yr Alpau. Mae *The Tourist's Guide through the County of Caernarvon* (1821) gan Peter Bailey Williams, rheithor Llanrug a Llanberis ac un o gylch Dafydd Ddu Eryri, cystal â dim, ond nid yw'r gŵr hwn, a arweiniodd y ddringfa graig gyntaf erioed yng ngwledydd Prydain i gael ei chofnodi – Teras Dwyreiniol Clogwyn Du'r Arddu – yn ymhelaethu rhyw lawer ar y mynyddoedd. Ar wahân i Gadair Idris, yr Wyddfa a gâi'r rhan fwyaf o lawer o'r sylw a dim ond dyfyniadau helaeth o waith un o'r teithwyr cynnar a geid fel arfer. Dyna i gyd yw *Humphreys' Guide to the Summit of Snowdon*, a gyhoeddwyd yng Nghaernarfon tuag 1850, gan dynnu'n helaeth ar Bennant (1781!) ymhlith eraill.

Os ydyw'r *Guide to Snowdon and the Glyders* pitw a welodd olau dydd ym Manceinion yn 1868 ychydig yn fwy gwreiddiol, mae hefyd yn beryglus o gamarweiniol ynghylch y Gluder Fawr, gan anfon y teithiwr i fyny o Lyn Cwmffynon ('the route is not rugged'!) ac i lawr – a'n gwaredo! – y Twll Du. Yn ôl chweched argraffiad *Black's Picturesque Guide* (Caeredin, 1856) ni fuasai neb elwach o ddisgrifio'r llwybrau oherwydd bod ar y dibrofiad angen arweinydd. Wrth gyfeirio at Garnedd Llywelyn a Charnedd Ddafydd dywedir, 'The ascent is rarely undertaken, because it is excessively toilsome, and affords little gratification beyond a repetition of the same scenes.' Nid bod yr enwog Haskett Smith yn cynnwys llawer am Garnedd Llywelyn yn y llawlyfr cyntaf oll ar holl fynyddoedd Cymru, sef ail gyfrol *Climbing in the British Isles* (1895). Mae'n werth dyfynnu'r paragraff cyntaf:

> From Bethesda the most direct way to the summit is to steer south-east and straight at the mountain, which is full in view. The distance is $3\frac{1}{2}$ miles, and an active traveller, if by any accident he extricates himself speedily from Bethesda, may reach the summit in two hours. On the other hand he is quite as likely to find himself, at the end of the two hours, still wandering sadly up and down the by-lanes of that maze-like village. The natives are polite, and would willingly give any information, but they cannot speak English and they do not possess the information.

Owen Glynne Jones a gyfrannodd yr adrannau ar Gadair Idris a'r Aran i'r llawlyfr hwn. Gresyn nad ymddiriedwyd y cyfan iddo. Yn 1897, ef a gyhoeddodd y llawlyfr cyntaf erioed ar ddringo creigiau fel y cyfryw – cyfrol ar Ardal Llynnoedd Lloegr – ac roedd yn gweithio ar gyfrol debyg ar Gymru pan laddwyd ef ar y Dent Blanche ddwy flynedd yn ddiweddarach. Ar ei nodiadau ef y seiliwyd *Rock-Climbing in North Wales* (1906) gan ei ffotograffwyr a'i bartneriaid dringo, y brodyr Abraham – gyda chymorth ei gyfnither Winifred Davies, nith ar ochr ei tad i'r cerflunydd Mynorydd, a raddiodd mewn Saesneg ym Mangor cyn mynd i Gaergrawnt. Roedd George Abraham wedi priodi Winifred ar ôl ei chyfarfod gydag Owen ar y Gluder, ond stori arall yw honno.

9

જ

Er bod Huw Derfel yn fanylach o lawer ei gyfarwyddyd na Haskett Smith, rhaid cyfaddef fod ei lawlyfr braidd yn gwmpasog yn ôl ein safonau ni heddiw. Ni fuaswn wedi hoffi gorfod dibynnu arno wrth ddod i lawr o Garnedd Llywelyn i Gwm Caseg yn y niwl. A dim ond ymgeisydd aflwyddiannus y gystadleuaeth a gynhwysodd fap yn ei lawlyfr! Eto i gyd, pwy ond mynyddwr go iawn a fuasai wedi medru disgrifio'r gwyntoedd ar Graig Braich Tŷ Du 'yn chwibanu heibio ei chonglau fel perchyll'? Rhagoriaeth y llawlyfr yw'r stôr o wybodaeth archaeolegol, hanesyddol, llysieuol a daearegol a gasglwyd, y math o beth sy'n cael ei gynnwys mewn atodiadau yn llawlyfrau'r Alpau heddiw. Prin bod enw yn mynd heb ei esboniad. Prin bod tudalen heb ddyfyniad o gerdd neu hen ddywediad ('Can goched â llwynog yr Aryg'). Mae'n cyfeirio'n frwdfrydig at bethau mor amrywiol â chysylltiadau'r hen dywysogion â'r Carneddau, hen lwybr trigolion Nant Ffrancon i farchnad Llanrwst, dulliau gweithio Chwarel y Penrhyn, 'adar a elwir Bronydd y Twynau' sydd bob amser i'w gweld ar Waun Blaen Afon Wen a 'bron yr un gyfrif ohonynt ers trugain mlynedd' (ai Bronddu'r Twynau, enw arall ar y Gornchwiglen?), brwynddail y mynydd (*Lloydia serotina*) ar yr Ysgolion Duon, a ffosilau – yn ymyl y 'ceunant dychrynllyd, a elwir weithiau yn Dwll du, a phryd arall Cegin y Cythraul' cafodd hyd i 'neidr wedi ymgaregu, a chreadur arall yn perthyn i ddosbarth y Trilabedyddion'. Ac y mae'n amlwg o'r cyfeiriadau helaethach eto yn *Hynafiaethau Llandegai a Llanllechid* – y 'meddygon cartrefol ffyddlawn' yn llysieua yn y Gegin wrth raffau, yr 'hen lysieuwr profiadol a barf-wenllaes, yr hwn a fu fyw mewn bwth ar lan Llyn Ogwen am yr hanner canrif diweddaf ac yn oracl y fro am redyn etc., sef John Davies, yn awr o Fraich Tŷ Du' – nad o wagle y cododd y diweddar Evan Roberts, y chwarelwr a droes yn arweinydd mynydd, yn warden natur ac yn awdurdod ar lysiau Eryri yn ein cyfnod ni. Dyma fynydda yn nhraddodiad gorau Edward Llwyd a Phennant, a gwŷr dysgedig Genefa a Bern, a Chlwb Alpaidd gwâr a gwlatgar y Swistir, a'r mynach Benedictaidd blaengar hwnnw o Abaty Mustér yng nghanol mynyddoedd y Grischun, Placidus à Spescha (1752–1833), gŵr Rheto-romaneg ei famiaith ac arloeswr cyntaf oll y syniad o fynydda fel y math o waith hamdden sy'n llenwi bywyd dyn, heddwch i'w lwch.

Efallai fod diddordeb byw Huw Derfel mewn daeareg yn awgrymu dylanwad posibl arall a roddodd fod i'r llawlyfr. Yn 1860 y cyhoeddwyd *The Old Glaciers of Switzerland and North Wales* gan y daearegwr mawr A.C. Ramsay, Albanwr a briododd Gymraes ac ymsefydlu ym Miwmares gan ddod, felly, yn hen ewythr i Kyffin Williams, ond roedd y gwaith wedi ymddangos ynghynt fel cyfraniad i *Peaks, Passes and Glaciers*. Nid oes arwydd yn y llawlyfr fod Huw Derfel wedi darllen yr astudiaeth hon, sy'n cyfeirio'n aml at Nant Ffrancon, ond nid oedd Darwin ei hun wedi sylwi ar olion amlwg y rhew pan ymwelodd â Chwm Idwal yn 1831. Ar y llaw arall, roedd gan un o wŷr amlycaf Dyffryn Ogwen, Tanymarian, ddiddordeb mawr mewn daeareg – ac eisteddfodau. Gweinidog Annibynwyr Carmel, Rachub, a Bethlehem, Tal-y-bont, oedd Tanymarian, a chyfansoddwr yr oratorio Cymreig cyntaf oll, *Storm Tiberias*, ond neilltuir pennod gyfan o'i *Cofiant* i'r gwrthrych 'fel daearegwr'. Pan oedd yn weinidog ifanc yn Nwygyfylchi bu'n crwydro'r mynyddoedd rhwng Conwy a Charnedd Llywelyn yng nghwmni Joseph Beete Jukes, un o gymdeithion Ramsay ar waith yr Arolwg Daearegol. Ac wrth sgrifennu amdano yn *Y Geninen* (1893) mynnodd Anthropos fod Huw Derfel yntau o flaen ei oes wrth dderbyn damcaniaethau'r daearegwyr am y cread, er gwaethaf ei barch at yr Hen Destament. Nid rhyfedd bod ei emyn enwocaf, 'Y Cyfamod Disigl' (*Blodeu'r Gân*, 1841) yn cychwyn:

> Chwi gedyrn binaclau y ddaear
> Gydoeswch â huan a lloer,
> Safasoch effeithiau difaol
> A threuliog hin wresog ac oer.

Ond brodor o Landderfel oedd Huw. Yn ôl ysgrif Tecwyn

Lloyd, 'Y gŵr a fu gynt o dan hoelion', mae canu'r Cyfamod am dri o'r gloch y prynhawn yn dal yn ddefod yn Eisteddfod y Groglith yno. Magwyd y bardd mewn tlodi mawr gan dad duwiol a fu farw pan oedd Huw, ei blentyn hynaf, yn ddeuddeg oed, a mam a aeth yn orffwyll ar ôl geni ei seithfed plentyn. Ac yntau'n wyth oed, prentisiwyd ef gan y plwyf i yrru'r wedd. Yn 1839, cyn gweld Dyffryn Ogwen, y daeth yr emyn iddo ar ben y Berwyn wrth 'ddod adref a'i bladur ar ei gefn o gynhaeaf ŷd Sir Amwythig a thra yn dyfod i olwg bro ei enedigaeth a mynyddoedd Arfon a Meirionnydd . . .'

࿇

A oes unrhyw angen esbonio'r awydd i gofnodi llwybrau'r Carneddau ar wahân i ymhyfrydu naturiol trigolion y mynydd-dir yn eu bro? Wrth drafod y mynyddoedd yn yr *Hynafiaethau*, a gyhoeddwyd ddwy flynedd yn ddiweddarach na'r *Llawlyfr*, gan ailadrodd cryn dipyn ohono, nododd Huw Derfel fod 'lliaws o ieuenctid yn gorau, gan ganu Salmau a Hymnau diddan' yn dringo'r Garnedd ym misoedd yr haf i weld y wawr yn torri – dim llai na 75 ar 30 Medi 1865 a 199 y nos Wener ganlynol – traddodiad tebyg i Naw Nos Olau yr Wyddfa, yn ddiau. Ac yr oedd unigolion o'r cylch yn gwerthfawrogi'r mynyddoedd hefyd – David Griffith, ysgolfeistr Capel Curig, er enghraifft, a aned yn Nhŷ Clap, Y Bontnewydd, ac y tynnodd Gwynfryn Richards sylw at ei ddyddiaduron. Crwydrai'r Gluder a'r Wyddfa ar ei ben ei hun ac un dydd Sul yn Hydref 1861 cerddodd o Lyn Cowlyd i Ffynnon Llugwy dros Llithrig y Wrach a'r ddwy Garnedd 'i weled ôl bysedd yr Hollalluog ac i ymgomio megis wyneb yn wyneb a'r anweledig. Dim ond Duw a'i fynyddau o amgylch ogylch'. Pa mor annodweddiadol ydoedd ef mewn gwirionedd?

Megis David Griffith a Glaslyn, mae Huw Derfel yn ei afiaith yn disgrifio'r mynyddoedd:

Ar y 14 o Ionawr 1864 ar ddiwrnod o rew tyner, esgynnodd dau gyfaill i fyny i weled gogoniant y gaeaf ar ôl un o'r rhewogydd mwyaf . . . a gafwyd ers 65 o flynyddoedd . . . a'r holl ddaear eto i raddau mawr yn rhwymau Orion, a chreigiau y Carneddau acw yn gwisgo clust-dlysau arian, a'r llynau cylchynol tan oddeutu troedfedd o rew . . . ac erbyn myned yno canfyddent y Wyddfa, chwaer hynaf y Carneddau acw, yn gwisgo gwarlen o rew, o'i hysgwyddau hyd ei godre . . . ac yr oedd y blymen a wisgai yr Ysgolion Duon o'r top i'r gwaelod yn ddigon â gwneud i wallt sefyll fel gwrychyn mochyn. Gwelent ar ben Moel Siabod ddwy o blymenau crynion o rew, yn union fel pe buasai newydd daro ei hyspectol ar ei hwyneb mewn syndod ac megis i graffu pa beth oedd neb yn ei geisio ar ben Carnedd Llewelyn yr amser hwnw o'r flwyddyn.

Ymhelaethiad yr *Hynafiaethau* ar gofnod moelach y *Llawlyfr* ydyw hynyna. Ar hanner dydd, roedd gwres yr haul un radd yn gynhesach ar y grib nag ym Methesda, 'fel y gellid eistedd i lawr am ychydig funudau i ysgrifennu pan fynnid'. Eto i gyd, 'marwolaeth oedd yn teyrnasu yno ac yn tremio arnynt o bob cwr, tra cylchdroai y gigfran grawc yn yr awyr uwch eu pennau, ac y deuai rholyn o niwl tew, yr hwn a gyrhaeddai o'r Gorllewin i'r Dwyrain gan ddechrau cuddio holl siroedd Gogledd Cymru, fel ton fawr a ymdreiglai o'r De tuag atynt'. Yn y *Llawlyfr* ei hun pwysleisir mai ar dywydd teg yn yr haf y dylid dilyn y llwybrau ac y 'byddai yr onglur, y llyfal, y cwmpawd, a'r pellweledur yn bur ddymunol' ar gyfer yr ail daith; er bod y map modfedd swyddogol ar gael er 1853, does dim sôn am fap. Ar ddiwedd y testun gwelir tri atodiad tan y penawdau, Pysgota, Llysieua ac Arweinyddion, ac ymhlith yr olaf, 'O Bethesda i ben Carnedd Llewelyn – Richard Abraham, y Freithwen (hen Fugail profiadol)'. Ond y mae Huw Derfel ei hun lawn cyn debyced o dorri allan i ganu ar y mynydd ag i amlhau rhybuddion:

> Cawn weled mil o bethau,
> Dinasoedd, cestyll, tyrau,
> O bwlput c'oedd y daran floedd,
> Lle'r niwloedd a'r anialau;

Ond i mi mwy dewisedig
   Wylltoedd anian lân gyntefig,
Nad yw eto halogedig
   Can drais adwythig dyn.

ૐ

Anaml y byddwn yn dod draw i'r Carneddau cyn imi gael y fraint o ddod i fyw yn Llanllechid. Yn ddyn ifanc tueddwn i feddwl am y Carneddau maith fel 'montagnes à vaches' o'u cymharu â'r Gluder a'r Wyddfa a mynyddoedd Nantlle gyda'u cribau ysgithrog. Erbyn hyn rwy'n eu hadnabod yn well ac yn sylweddoli fod y Grib Lem, sy'n cysylltu'r Llech Ddu yng Nghwm Pen Llafar â chopa Carnedd Ddafydd, lawn cystal yn ei ffordd â chribau enwog y Gluder ac yn llawer mwy unig. Er nad yw'n anodd o gwbl o ran y dringo, mae angen arweinydd atebol i olrhain y llwybr o gwmpas wyneb unionserth y Llech. Ond y Carneddau yn eu crynswth sy'n cryfhau eu gafael arnaf bob tro yr af i'w canol y dyddiau hyn. Gallaf gytuno â Huw Derfel bellach fod Moel Wnion, hyd yn oed – Moelwynion a ddywed ef a dyna sydd ar lafar hyd heddiw – 'can llyfned ag ŵy, ac yn un o'r moelydd tlysaf yng Nghymru'. Hyd yn oed wrth ddringo Gallt y Mawn yn araf, araf, a'm trwyn ar y llethr am hanner awr, ymhyfrydaf, yng ngolau gwan y gaeaf, ym melyngoch y gweunwellt a'r hesg bob yn ail â gwyn y crawcwellt tan fy nhraed. Ac weithiau, wrth imi gyrraedd cefn y mynydd a chodi fy ngolygon, daw'r haul heibio i'r tarth a throi'r mynydd i gyd yn aur ac yn arian tan awyr oleulas. Ymhell draw trwy Fwlch y Cywion gwelaf yr eira yn llathru ar Garnedd Ugain a Chrib Dysgl yr Wyddfa fel pe bai'r Mont Blanc neu'r Bernina neu hyd yn oed Dorje Lhakpa, na fûm yn nes ato na'i droed glasierog, wedi dod i olwg y Carneddau.

Fel y dywedais, yn ystod y nos y dringais Garnedd Llywelyn gyntaf erioed. Y tro diwethaf imi ei hesgyn, ar i lawr yr oeddwn yn ceisio curo machlud yr haul. Y tu draw i eangderau'r Carneddau eu hunain gwelwn wastadedd tywyll Môn ac Arfon, y môr llwyd yn ymestyn at y gorwel, ac wyth gwaith mwy o awyr uwch ben y môr wedyn, yn aur gwelw tan wyrdd gwan tan fioled golau tan lesni uchel olaf y dydd, nes gwneud imi deimlo fel cawr. Ac er bod yna gymylau gwlanog yn gosod rhyw fath o derfyn ar y môr, erbyn imi gyrraedd Gurn Wiga roedd yna longau du pendant o gwmwl yn hwylio tuag ataf a thros fy mhen fel petaent am ymosod ar Lanrwst. Ond yr oeddwn innau'n anelu am dyddyn yng Nghwm Ffrydlas y tro hwn, a chennyf gwmni difyrrach a mwy lluosog nag oedd gennyf, yn fy anwybodaeth, y tro cyntaf hwnnw – cwmni'r Ifor Williams ifanc a'i ewyrth Cilfodan a mab Bryneithin, cwmni Huw Derfel a Thanymarian a Richard Abraham, y Freithwen – y tyddyn agosaf i Dal Cae, ar i lawr. Nid wyf yn siŵr nad oeddwn yng nghwmni Lowri Galed a Chati hefyd, a Dafydd, brawd y Llyw Olaf, y mae Huw Derfel yn sôn yn ddicllon am ei gipio trwy frad ar Waun y Bera Mawr, a Thrystan a Thaliesin, a'r holl hynafiaid y bu Huw Derfel yn dyfalu ynghylch eu gwaith yn codi gwylfâu a charneddau a chylchoedd cerrig ar hyd a lled y mynyddoedd. Mae Helfa'r Fraich hithau yn dal i gael ei chynnal, ond y bugeiliaid yn mynd yn brin. Y tro nesaf, efallai y bydd Cai a Llŷr yno gyda mab y cymdogion, ar war Carnedd Llywelyn neu lle bynnag arall y mae'r mab hwnnw i fod.

Tri Bwlch yn y Grischun

Scaletta

Noswyl Nadolig, 1986, rhannu un botel o Veltliner, a brynais ym marchnad Poschiavo yn Awst, gyda Chofiadur Gorsedd Beirdd Ynys Prydain a'n priod wragedd, oedd y mwyaf o'm pechodau – heb wirodydd, sigarau na hyd yn oed gardiau Tarot i ddilyn. Fore trannoeth, fodd bynnag, roedd llawr y llofft fel bwrdd y *Sant Columba* yn wynebu storm nerth naw ar y ffordd i Dun Laoghaire. Yn ôl i'r gwely â mi ond erbyn y prynhawn chwyrlïai'r dodrefn a'r darluniau o'm cwmpas fel y ceffylau bach, neu yn hytrach fel yr Arch Noa, yn Ffair Dynewaid Dolgellau gynt: barnwyd bod y *Noah's Ark* yn rhy gyflym i'r plant lleiaf. Wedi ceisio codi, doedd dim amdani ond disgyn ar fy mhennau gliniau ac aros am help i ymlusgo'n ôl dros yr erchwyn. Gwaeth fyth, hyd yn oed wrth gadw fy llygaid yn dynn ynghau, roedd symudiad cynilaf fy mhen yn fy ngwneud yn chwil ulw. Araf hefyd oedd effaith pigiad lliniarol y meddyg. Gyda'r wawr y dechreuodd y Ddaear sadio beth ar ei hechel. Ymhen dyddiau y daeth cytbwysedd llygaid a chorff yn ôl. Ym mherfeddion fy nghlustiau yr oedd y gwendid, yn ôl y meddyg, nid yn y gwin. Ond dyma'r rhyfeddod: yn anterth y bendro, a'm pen yn nhywyllwch eithaf y gobennydd, atgofion am gerdded bylchau mynydd oedd fy nghysur pennaf, bylchau mynydd hen weriniaeth deirieithog, ysgithrog, rydd, sef, yn Rheto-romaneg, Il Grischun, yn Eidaleg, I Grigioni, yn Almaeneg, Graubünden. Y tu allan i'r Swistir, y ffederasiwn mwy y daeth yn ganton ohono yn 1803, roedd y ffederasiwn balch hwn o gant a hanner o gymoedd amrywiol yn fwy adnabyddus i ddiplomyddion Ewrop gynt fel y Grisons, a'i fylchau, 189 ohonynt ar gyfer y cerddwr, yn enwog am orchest ac ystryw cadfridogion fel y Duc de Rohan a Baldiron, Lecourbe a Suvorof.

Nid hen arwyr rhyddid y Grischun na chadfridogion Richelieu neu Napoleon a ymrithiodd o'm blaen wrth imi gerdded dros y Scalettapass (2606m neu 8551 tr. uchlaw'r môr) o Dürrboden ger Davos i S-chanf (ynganer, fwy neu lai, *si-sianff*) yr haf blaenorol, fodd bynnag. Cofiwn yr ymdrech gynnar yn erbyn gwynt anarferol o finiog, y gollyngdod nad oedd eira anamserol llif Awst wedi lluwchio cymaint â hynny tua chopa'r bwlch, a'r wefr wrth weld y gwyngalch newydd, pur yn diflannu i'r cymylau, fel petai crib ddwyreiniol y Chüealphorn yn un o gyrsiau mawr yr Alpau. Wedi amgylchu'r Scalettahorn a chyrraedd copa rhynllyd y bwlch, cofiwn fod Joachim wedi ateb sylwadau bychanllyd Hans Castorp am fynyddoedd Davos, wrth gyrraedd y sanatoriwm yn nofel fawr broffwydol Thomas Mann, *Der Zauberberg* (Y Mynydd Hud), trwy dynnu sylw at ei lasier pellennig, 'Siehst du das Blaue noch? Er ist nicht gross, aber es ist ein Gletscher . . .'. 'In ewigen Schnee.' 'Ja, ewig, wenn du willst.' ('Weli di'r glesni hefyd. Nid yw'n fawr ond glasier ydyw . . .'. 'Yn yr eira tragwyddol.' 'Ie, tragwyddol, os mynni.') Roedd storm o eira mân rhyngof a Davos ers meitin. Yna, fel sy'n digwydd yn aml wrth ddynesu at yr Engadin, dechreuodd y cymylau godi. Dilyn rhaeadrau oedd fy ngwaith yr ochr draw, saith milltir o raeadrau rhwng copa'r bwlch a phentref bach Susauna, a milltir ar ben milltir arall o raeadr a phistyll yn ymuno â phrif afon y cwm o grognentydd clasurol wrth fodd unrhyw athro daearyddiaeth, o'r pantiau eira disglair y tu ôl i'r cymylau, ac o lasierau cudd Piz Grialetsch a Piz Vadret, ymhell uwchben y clogwyni. Funtauna (ffynhonnau) yw enw'r alp a'r hafoty uchaf ichwi eu cyrraedd ar ochr ddeheuol y bwlch. Yma o'r diwedd yr oedd sŵn arall i gystadlu â su mawr yr aberoedd. Wrth gyfiawnhau cynnwys clychau gwartheg yn symudiad araf ei Chweched Symffoni, mynnodd Mahler mai dyna'r sŵn dynol agosaf oll at yr awyr a'r unigeddau. Nid ambell donc a thinc gwladaidd a glywyd yn codi oddi wrth Alp Funtauna, fodd bynnag, ond corganu cyfoes cannoedd o heffrod a lloeau heb boen yn y byd am orbori a gorgynhyrchu.

Man cyfarfod tri chwm yw Funtauna mewn gwirionedd ac y mae gwastadedd cudd Val Funtauna ei hun yn ymestyn am filltir dda tua'r gorllewin, yn null yr Hengwm ym mlaen Cwm Cynllwyd braidd. Saif cadwyn fawr arall o fynyddoedd rhyngddo a'r Engadin ac, yn eu pen gorllewinol hwy, gopa uchaf y cylch, Piz Kesch (3418m; 11,221 tr). Gan fy mod wedi bod ar ei ben yr haf cynt, siom oedd gweld gorchudd o gwmwl drosto o hyd. Mor gadarn yr ymddangosai'r holl lethrau a chlogwyni enfawr o'm cwmpas yn awr. Eto, prin fod lle i ddau ohonom sefyll ochr yn ochr ar gopa Piz Kesch – prin fod lle i ddau yn unman ar hyd ei grib lefel dri chanllath neu bedwar ychwaith. Yno, dim ond rhyw set ffilm o fynydd a wahanai ogledd a de ac eisoes yng nghanol y bore ysgubai afalansau cyson gannoedd o droedfeddi i lawr y pared gogleddol at lasier Porchabella. Wrth wylio un afalans llydan yn llithro ymaith yn union wrth draed dau ffigwr bach ym mhen arall y grib, ac ofni'r gwaethaf am funud hir, daeth geiriau o 'Princess' Tennyson o'r newydd i'm cof:

> . . . to walk
> With Death and Morning on the Silver Horns.

O'm blaen yn awr, ceunant Afon Vallember oedd yn fain, mor fain nes bod hogiau'r hafod (pwy arall?) wedi medru hongian baner ddu, hir, hanner ffordd rhwng ei ddau fur, tua mil o droedfeddi uwchben yr afon. Sylwais wedyn eu bod wedi codi dwy faner arall, y naill ar draws genau cwm Vallorgia – sy'n dod i lawr at Alp Funtauna o'r dwyrain – a'r llall, arbrawf efallai, rhwng to'r hafoty a chraig ar ochr ogleddol Val Funtauna.

Wedi mynd trwy'r glyn cul, roeddwn yn cerdded trwy goedwig am y tro cyntaf, ond mae muriau Val Susauna bedair mil o droedfeddi uwch eich pen erbyn ichwi gyrraedd Alp Pignaint, a chreigiau gwylltach eto yn gwarchod mwynder porfeydd. Pentref bychan yr anghofiodd twristiaeth amdano yw Susauna ei hun: dau deulu o bobl ddieithr a welais hyd yn oed yn rhan isaf y cwm. Nid ychwanegwyd fawr ddim er yr ail ganrif ar bymtheg i darfu ar ei eglwys foel un-gofeb a'i glwstwr o ffermdai gwynion. Collodd Susauna ei swyddogaeth bennaf pan agorwyd ffordd fawr o Davos i'r Engadin dros Fwlch Flüela yn 1868: cyn hynny, dywedir bod modd llwytho slediau gyda thair sach o rawn ar gyfer y Scaletta am bob dwy a lwythwyd ar gyfer y Flüela. Uniaith Almaeneg – iaith y *visitors* – oedd yr arwydd 'llefrith ar werth' yn ymyl hafoty Funtauna, ond y bwlch yw'r ffin rhwng tai pren Davos a thai carreg yr Engadin, rhwng Almaeneg unigryw y Walseriaid a'r ffurf ar Reto-romaneg a elwir mor briodol yn Ladin. Cuolm S-chaletta yw ei enw Ladin.

Ni wn am harddach tai na ffermdai unigryw yr Engadin – y pyrth mawr, bwaog ar gyfer troliau, y ffenestri dyfnion, ciwbig, y rhwyllwaith haearn, y patrymau a'r arfbeisiau a'r adnodau Romaneg ar wyngalch neu hufengalch y talcenni, heb sôn am banelau a nenfydau a meinciau pîn y parlyrau gyda'u stofiau anferth, addurnedig. Pe bai rhywun yn cyfieithu llyfrau plant Selina Chönz o'r Romaneg i'r Gymraeg, fel y gwnaed i lawer iaith arall, fe welai'r Cymry gymeriad y tai hyn drostynt eu hunain yn narluniau Alois Carigiet o gartrefi Uorsin a'i ffrindiau, wedi eu seilio, mi gredaf, ar dai Guarda yn yr Engadin Isaf. Nid yw tai Susauna hanner cystal â rhai Guarda. Ond roedd yr arwydd yn gwahardd moduron rhag croesi'r bont at y pentref a gweddill y cwm, heb sôn am y sgwrs o flaen y dafarn, yn uniaith Romaneg. Ac mae'r plastai ail ganrif ar bymtheg ar hyd stryd fawr S-chanf, yn y dyffryn islaw, ymhlith goreuon yr Engadin Uchaf.

Gan ei fod yn un o'r llwybrau mul a sled pwysicaf yn yr hen ddyddiau, mae'r Scaletta ymhlith y rhwyddaf o fylchau uchel y Grischun i gerddwr. Wrth adael y ffordd a charlamu i lawr trwy'r pinwydd at gyrrau S-chanf, fodd bynnag, a gweld y dyffryn – 'ma bella val, ma Engiadina' – yn ymestyn o blwyf i blwyf tua'r gorllewin, teimlwn fy mod 'wedi croesi'r Alpau' lawn gymaint â Wordsworth a Robert Jones, Llangynhafal, yn dod i lawr y Simplon, gynt. Rhaid croesi Bwlch Malöggia (Maloja) dros ugain milltir i ffwrdd ym mhen uchaf y dyffryn, i gyrraedd Chiavenna a Milan, ond nid yw'r ffordd fawr yn gorfod ymdrechu yr ochr yma i'r bwlch hwnnw, dim ond dilyn cwrs Afon En (yr Inn yn Awstria) ar ei thaith dros y dolydd eang ac, yn agosach i'w tharddiad, trwy gyfres o lynnoedd mawr heb eu hafal. Cymharwyd yr Engadin Uchaf weithiau â Sweden – Sweden tan haul deheuol a than goron uchel o fynyddoedd iâ llachar, miniog – cadwyn Bernina, yn anad yr un. Ar lan Afon Rhein y magwyd y beirniad llenyddol Rheto-romaneg Iso Camartin ond dyma'r 'to' sy'n tynnu Ewrop at ei gilydd hyd yn oed iddo ef – nid yn unig oherwydd fod cynifer o lenorion a meddylwyr mwyaf y cyfandir – Meyer, Mann, Rilke, Proust, Musil, Cocteau, Adorno – wedi cydnabod mai yma, yn anad unman, 'y mae'r wybren eisoes yn ddeheuol ond yr awyr yn dal yn iach', mai yma, chwedl Nietzsche, 'yn dryloyw, yn tywynnu ym mhob lliw', y gwelir, ymhleth, bob cyferbyniad, pob cyfaddawd, rhwng y rhew a'r Deau', ond oherwydd fod gogledd a de yn cyfarfod yma yn niwylliant unigryw'r Rheto-romanwys hefyd. Yma, yn Awst 1881, ar ôl cerdded trwy'r coed ar lannau Llyn Silvaplana y daeth yr awen ag *Also Sprach Zarathustra* (felly y llefarodd Zarathustra) i Friedrich Nietzsche, gan chwalu'r nihiliaeth a'i llethodd gyhyd. Er iddo wadu'r cydraddoldeb sydd ymhlyg yn nysgeidiaeth Crist, cam dybryd a gafodd y meddyliwr gonest hwn pan drodd y Natsïaid ei gred yn yr Uwchddyn i'w melin afiach eu hunain: yn y bôn, ei orchfygu ei hun yw camp Uwchddyn Nietzsche a byw'n beryglus yn y meddwl, gan gefnu ar deganau gwael y dorf. Yn yr Engadin, megis ym mhob un o'r cymoedd ar gymoedd mynyddig sy'n creu'r Grischun, gan ei chwalu ar yr un pryd, hawdd ymateb i eiriau Zarathustra, 'immer wenigere steigen mit mir auf immer höhere Berge, – ich baue ein Gebirge aus immer heiligeren Bergen.' (Llai a llai sy'n dringo gyda mi i fyny mynyddoedd uwch ac uwch, – adeiladaf ucheldir o fynyddoedd sancteiddiach a sancteiddiach.) 'Metaphysische Landschaft' (tirlun metaffisegol) Segl neu Sils Maria oedd Arcadia Nietzsche ac roedd bugeiliaid y fro yn amlwg yn 'nisgleirdeb euraid' y darlun. Iddo ef, doedd unman tebyg y tu allan i ucheldir gorllewinol Mecsico. Ond i mi, os oes hafal y goleuni glasfelyn sy'n ffrydio trwy'r Engadin o'r gorllewin ddiwedd brynhawn, dros aber a moryd Afon Mawddach y daw hwnnw.

Diflannodd trenau fy ieuenctid o lannau Mawddach ond yn y wlad fach wâr hon roedd modd dal y 16.43 o S-chanf, newid yn Samedan a chyrraedd Bravuogn (Bergün) am 17.48. Oddi yno yr oeddwn wedi cychwyn am hanner awr wedi saith y bore, gan newid yn Filisur ar gyfer Davos a dal bws bychan oddi yno i Dürrboden yn y Dischmatal. Prin y gall neb yr amddifadwyd ei fro o reilffyrdd gan y Dr Beeching cul ei welediad hwnnw ymatal rhag hanner addoli'r Rhätische Bahn, rheilffordd y canton, y Ferrovia Retica, y Viafier Retica (Rhaetia yw hen enw Rhufeinig y rhanbarth). Ar ôl gadael twnnel mawr pedair milltir Alvra neu Albula, mae'r trenau prysur, prydlon yn mynd trwy saith twnnel sylweddol arall wrth ddisgyn dros fil o droedfeddi i Bravuogn, gan droi o'u hamgylch eu hunain bum gwaith, y rhan amlaf y tu mewn i'r graig.

Cyfareddir dyn wrth wylio'r cerbydau coch neu wyrdd tywyll yn mynd i mewn ac allan o'r twneli, gan esgyn neu ddisgyn o lefel i lefel, ac o bont i bont, uwchben hafn gul Afon Alvra. Trwy dwnnel Albula, yn 1903, y daeth Amser i darfu ar yr Engadin dragwyddol, gan droi San Murezzan yn Sankt Moritz ac, erbyn hyn, lastwreiddio pentref Silvaplana. Yn un pen iddo, mae natur ar ei gwylltaf gothig. Yn y llall, mae'r dyffryndir araul, heulog fel petai filoedd o droedfeddi yn is na'i chwe mil uwch lefel y môr: 'chwe mil o droedfeddi y tu hwnt i Ddyn ac Amser,' chwedl Nietzsche; 'Brodir uwch brad yr oes,' a benthyg geiriau J. M. Edwards am ddarn o Geredigion. Am ba hyd, hyd yn oed yn rhannol? Ond y trenau trydan llyfn a'u tocynwyr trugarog? Ai am eu gorchestion peirianyddol y derbyniwn heddiw nad yw trenau'n tarfu fawr mwy ar naws yr ucheldir nag adfeilion hen gestyll? Ynteu am eu bod yn cludo, yn ôl ac ymlaen trwy'r twneli, ryw hiraeth lliniarol am bethau a phobl na allant byth fod eto, fe arfaethwyd, gyda'i gilydd yn yr un lle?

Muretto

Osgoi un o gadwyni mwyaf trawiadol yr Alpau y bydd y ffordd dros Fwlch Malöggia wrth anelu am y gorllewin. Er mwyn croesi'r Alpau yn uniongyrchol o Malöggia i'r Eidal rhaid dewis Passo Muretto (2562m, 8407 tr.). Y tro cyntaf erioed inni ddod i'r Grischun, buom yn rhentu hanner tŷ ar gyrrau Malöggia am dair wythnos gyfan. Dros frecwast a thros swper bob dydd, ar hollt glasurol, bell Bwlch Muretto y syllem trwy ffenestr y stafell fyw. Yn ein dychymyg, gwelem ffoaduriaid, smyglwyr, herwyr a diwygwyr yn mentro dros y bwlch. Onid dyma'r ffordd yr aeth Heinrich Waser i rybuddio ei gyfaill Jürg Jenatsch (gweinidog a droes yn gadfridog, ac un o arwyr mawr – ond cymhleth ac, ar brydiau, annhosturiol – y Grischun) rhag y cynllwyn i ladd holl Brotestaniaid Val Tellina, yn nofel Conrad Ferdinand Meyer am y Rhyfel Deng Mlynedd ar Hugain? Roedd yn wir fod yr ychydig a oroesodd gyflafan 1623 wedi ei defnyddio i ffoi, ac yna, dros dair canrif yn ddiweddarach, ugeiniau o garcharorion rhyfel yn dianc o'r Eidal. Ar y mulod a gyrchai win coch gorau'r Val Tellina, y Veltliner, y mae pwyslais presennol y diwydiant ymwelwyr, gan ramanteiddio'r cyfnod pan oedd y Grischun yn un o'r darnau bach allweddol ar fwrdd gwyddbwyll galluoedd Ewrop, a'i bendefigion gweriniaethol a'i gapteniaid yn byw yn llawer brasach na phe baent yn ddibynnol ar gynnyrch y ffriddoedd.

Yn ystod y gwyliau pell rheini ym Malöggia, ar gewri'r Bernina yr oedd fy mryd, nid ar gerdded bylchau. Aeth ugain mlynedd heibio cyn imi roi cynnig ar Fwlch Muretto, a hynny ddim ond oherwydd fy mod wedi anafu'm coes braidd ormod i fynd am gopa mawr. Eto i gyd, ni chefais erioed y fath foddhad o daith mynydd. Unig wendid Llyn Cavloc, prif nodwedd rhan gyntaf y daith, yw perffeithrwydd y tu hwnt i'r credadwy – o ran ffurf ei lannau a'i ynysoedd bach, o ran dosbarthiad y coed pîn, o ran cytbwysedd trionglog Pizzo dei Rossi yn y cefndir. Ond paradwys i famau a phlant a chariadon yw Llyn Cavloc a rhosod yr Alpau yn eu blodau. Unwaith ichwi fynd heibio i'r ffridd uchaf, Plan Canin, a throi oddi wrth y llwybr i gaban y Clwb Alpaidd ar lasier Forno, mae'r rhan fwyaf o olion yr hen lwybr mul wedi diflannu tan lanastr afalansau. Yma, nid ymwelwyr ond cewri yw'r erydwyr. Am lecyn cyfyng, garw rhwng creigiau'r Muretto y byddaf yn meddwl bellach wrth glywed cân Mignon o nofel Goethe, *Wilhelm Meisters Lehrjahre*, a osodwyd mor glasurol gynnil gan Schubert ac mor llawn drama gan Hugo Wolf:

> Kennst du den Berg und seinen Wolkensteg?
> Das Maultier sucht in Nebel seinen Weg;
> In Höhlen wohnt der Drachen alte Brut;
> Es stürzt der Fels und über ihn die Flut!

Hiraethu am wlad y lemonau a'r orenau y mae Mignon, geneth a gipiwyd o'i chartref a'i dwyn ar draws yr Alpau i gerdded y rhaff dynn mewn syrcas. Yn y pennill, mae'n erfyn:

> Wyt ti'n 'nabod y Bwlch a'i risiau i'r cwmwl?
> Mae'r mul yn chwilio am ei lwybr yn y niwl;
> Mewn ogofâu fe drig dreigiau o'r hen ach;
> Fe syrth y graig yn serth a throsti daw y ffrwd!

Bu Goethe ei hun i gopa Bwlch Gotthard ddwywaith cyn cyhoeddi'r nofel ac er bod gan y Brodyr Gwyn ysbyty yno, lle bu'r bardd yn eistedd ar y ffwrn i gadw'n gynnes, mae ei ddyddiadur a'i lythyrau'n llawn sôn am *Wolken* (cymylau), *Nebel* (niwl), *Felsen* (creigiau), *Maultiere* (mulod), geiriau mor gryf a thywyll eu rhamant yn yr Almaeneg. Cyfeiria hyd yn oed at Drachen Thal, Cwm y Dreigiau, a chofier fod un o naturiaethwyr mwyaf y Swistir, Johann Jacob Scheuchzer, wedi datgan ei gred ym modolaeth dreigiau'r Alpau prin ddeng mlynedd ar hugain cyn ymweliad cyntaf Goethe yn 1775. Bu Thomas Pennant ar y bwlch yn 1765 ac Edward Llwyd yntau'n adolygu gwaith Scheuchzer.

Lle unig iawn yw'r Muretto o'i gymharu â'r Gotthard, ac

anodd dychmygu sut y gallodd mulod ymgodymu â hanner can troedfedd uchaf yr hafn greigiog yn union dan y copa. Yn nofel Meyer, dallwyd Heinrich Waser gan 'faes eira llathr, a chribau a phyramidiau cringoch yn treiddio trwyddo'. Wrth imi ddringo allan o geunant i'r ddysgl wen yn union tan y bwlch ei hun y gwelais yr unig gerddwr arall ar y llwybr, gŵr a golwg mynyddwr profiadol arno. Rhybuddiodd fi yn Almaeneg mai rhew, nid eira, oedd o'm blaen a gofynnodd a oeddwn yn bwriadu croesi drosodd i Val Malenco. *Hoffentlich* (gobeithio) yr atebais, gan fwynhau medru defnyddio'n briodol air na allaf ddioddef ei addasiad Saesneg, *hopefully*, a ddaeth i'r Saesneg, ond odid, trwy gyfrwng Almaenwyr Unol Daleithiau America.

Awr neu ddwy yn ddiweddarach (wedi osgoi gwaethaf y rhew trwy fentro ar linell uwch ar eira dyfnach) cyfarchwyd fi eto, yn Eidaleg y tro hwn. Roeddwn wedi croesi terfyn gwlad, iaith a chrefydd heb ddangos yr un drwydded na thalu'r un doll – a chofier nad oes neb, yn fy mhrofiad i, yn medru symud ynghynt ar fynydd na cheidwaid ffiniau'r Swistir, a bod smyglo rhwng yr Eidal a'r Swistir yn gyffredin o hyd.

Nid wyf yn medru Eidaleg heblaw ambell frithgof o opera neu ddwy. Ceisiais fathu peth: 'Quanti ore à Chiareggio?', gofynnais i'r ffermwr. 'Due,' atebodd, gan ychwanegu rhes o eiriau cyfeillgar a chalonnog. Pwyntiais ar draws dyfnderau Val Malenco oddi tanom at Monte Disgrazia ac ebychu, 'Magnifico', fel y tybiwn y dylai Sais moesgar gyfarch Cadair Idris. Oblegid mae ifori cywrain glasierau trwchus a chribau miniog, ysblennydd y Disgrazia o Alpe dell'Oro i'w gymharu ag unrhyw olygfa o'i bath ar y ddaear. Wrth gerdded yn fy mlaen, astudiais hi am awr o leiaf, a chymylau ysgeifn, hirion yn cau ac yn agor am ei chanol fel pe bai angen fy ngoglais. Ac ymhen awr arall o ruthro trwy goedwigoedd serth o bîn ac yna gastanwydd, wele o flaen porth capel bychan Chiareggio fy ngwraig, fy mab ieuengaf a'm modur, wedi teithio dros drigain milltir i'm cyfarfod, gan fentro tollbyrth a thwneli a ffyrdd culion, troellog, di-facadam uwchben llawer dibyn a dwnjiwn.

Dyna, mae'n siŵr, un arall o gyfrinachau gafael y bylchau arnaf

– bod ar fy mhen fy hun, gan fod bylchau'n fwy diogel na chopaon, ond bod â rhywun yn disgwyl amdanaf yr ochr draw. Fel y disgwyliwyd amdanaf droeon o'r blaen: yn Nufenen ym mlaenau Afon Rhein, er enghraifft, a minnau'n cyrraedd o San Bernadino dros y Bocchetta de Curciusa (2420m, 7941 tr.) yr unig fwlch o'i fath i haeddu WS – *Wenig Schwierig* (braidd yn anodd), yn lle B – *Bergwanderer* (cerddwr mynydd), EB – *Erfahrener Bergwanderer* (cerddwr mynydd profiadol), neu L – *Leicht* (rhwydd, i ddringwr) ym mhedwerydd argraffiad ail gyfrol llawlyfr swyddogol ond cyfareddol Clwb Alpaidd y Swistir, *Club Führer durch die Bündner Alpen* (1981): mae deg cyfrol i gyd ar gyfer Alpau'r Grischun, yn llawn manylion am darddiad enwau lleoedd, a phlanhigion a daeareg yn ogystal â llwybrau a dringfeydd; ac yn Bivio, ym mhen gogleddol Pass da Sett, y Septimer prysur gynt (2310m; 7580 tr.) wedi imi gysylltu â'r hen lwybr Rhufeinig hwnnw trwy groesi Pass Lunghin (2645m; 8679 tr.) o Malöggia – dyna'r adeg imi fwyta'm brechdanau o fewn ugain llath i glamp o *chamois* unig, rhyfedd, a oedd â mwy o ddiddordeb yn yr olygfa draw dros Val Bregaglia nag o'm hofn innau.

Yn Bever, roedd y teulu'n disgwyl amdanaf yn atig panelog tŷ mawr Engadinaidd, lle'r oedd ein landledi fain, aelddu yn rhedeg Ysgol Feithrin Romaneg, yn derbyn y casgliad ar ôl y bregeth Romaneg fore Sul, yn lladd ar dai haf ond yn amheus ynghylch addysg *uwchradd* trwy gyfrwng y Romaneg, hyn i gyd o fewn pedair milltir i St Moritz! Ac y mae llawer iawn llai o Romaneg yn St Moritz nag sydd o Gymraeg yn Llandudno. Dros Fuorcla Crap Alv (Bwlch y Wengraig) (2466m; 8092 tr.) o Preda y cyrhaeddais y tro hwnnw a dyna'r tro cyntaf i neb fy nghyfarch yn Romaneg yn lle Almaeneg. 'Allegra,' ebe'r hogyn bach dwys yn eistedd ar ben llidiart ger Spinas, â her yn ei lais. 'Allegra,' atebais innau, er gwaethaf fy anorac ddieithr a'r gaib ar fy mhwn. Gwenodd fel giât a chofiais am y bardd Michael Roberts yn dod i lawr o'r Aiguilles d'Arves:

> We clattered noisily through the upper hamlets,
> Girls turned for a moment from the milking,

Old men smiled from the stone doorways,
And a boy with six goats shouted a greeting,
To us, the intruders.

Bwlch bach neilltuol o drawiadol a diddorol ydyw'r Crap Alv, a
digon rhwydd hefyd er gwaethaf disgyniad serth iawn o'r gogledd
i'r de i Val Bever: yno, dro arall, y sylwodd Margaret ar lili'r
Wyddfa, *Lloydia Serotina*, yn blodeuo ar ei ochr olgeddol – *Loidie
tardive* ydyw yn argraffiad Ffrangeg llyfr planhigion y Clwb
Alpaidd.

Bwlch glasier hir ac agennog ydyw Fuorcla de la Sella (3269m;
10,726 tr.). Ni chaf anghofio fyth gan y teulu sut y bu raid iddynt
ddisgwyl o bump tan hanner awr wedi deg ym Mhuntraschina
(Pontresina) imi ddod adref o gopa Piz Bernina dros y bwlch
hwn. Roedd cyflwr y llwybr arferol ar hyd glasier Morteratsch yn
rhy beryglus y diwrnod hwnnw. Aethom i lawr yr ochr arall i'r
Eidal, felly, ac yn ôl dros Fwlch Sella, nid heb drafferthion wrth
ddod i lawr o lasier Sella i lasier Roseg. Darllenais fod Roseg (fel
Rosa yn Monte Rosa) yn tarddu o hen air Celteg am lasier: mae
elfen Geltaidd yn y Rheto-romaneg ac yn nhafodieithoedd
Ffrangeg y Valais. Yn ôl llythyr oddi wrtho at Liszt, bu neb llai na
Wagner ar lasier Roseg ym mis Gorffennaf 1853, gan gymharu'r
Bernina yn ffafriol â'r Mont Blanc a phrofi 'der Heiligkeit der
Öde' – sancteiddrwydd y gwylltoedd. Wrth i'r nos ddechrau eu
heuro a'u melfedu y mae'r Alpau uchel ar eu mwyaf sanctaidd,
efallai. Llawn cystal gennyf adael fy nghymdeithion yng nghaban
Coaz y noson honno, felly, a cherdded yn fy mlaen ar hyd Val
Roseg i'r tywyllwch, gan gymryd bod y teulu'n dal i ddisgwyl
amdanaf. A dyna'r unig dro, mi gredaf, imi fod yn hwyr yn
cyrraedd, a hynny ar ôl taith o ryw bedair awr ar ddeg.

Nid enwais yma chwarter y bylchau a groesais yn y Grischun
ond yr wyf yn dal i awchu am ambell un arall. Passo della Greina
(2362m; 7751 tr.) o Sumvitg i Olivone, er enghraifft, cyn i'r
peiriannau ddechrau tyrchu i'w wyryfdod pump awr o bobman.
Neu Fuorcla Zadrell (2752m; 9030 tr.) o Lavin i Klosters, a enwyd
ar ôl gweinidog a bregethai bob Sul yn y naill le a'r llall, naw awr o

gerdded oddi wrth ei gilydd yn ôl y llawlyfr cyfoes. Bwlch anarferol o wyllt yw hwn yn ôl pob sôn, ond roedd y Parchedig Linard Zadrell* yn ddigon atebol: â'i enw cyntaf ef y bedyddiwyd Piz Linard, copa uchaf y cylch, a esgynnwyd ganddo ddechrau'r ddeunawfed ganrif yn ôl y chwedl, ond a gyfrifir yn ZS – *Zeimlich Schwierig* (pur anodd) o hyd ar hyd y llwybr cyffredin.

Dyna Pass da la Prasignola wedyn (2724m; 8932 tr.) o Cröt yn yr Avers i Soglio, y 'trothwy Paradwys' hwnnw ar deras uchel uwchben Val Bregaglia, Soglio oedd cymaint wrth fodd yr arlunydd Segantini a'r bardd Rilke. Yno, yn ôl Rilke, 'alles war . . . wie ein Versprechen des Kunftigen' – yno yr oedd popeth fel addewid o'r hyn sydd i ddod. Yr hyn yw Portofino i'r arfordir, yw Soglio i'r Alpau. Pe bai Clough Williams-Ellis wedi gweld Soglio yn hytrach na Portofino, oni fuasai wedi codi Porth Meirion tua'r Hafodydd Brithion, gyferbyn â'r Wyddfa a'r Aran a'r Lliwedd? Nid ei olygfa anghymharol o Piz Badile a ffantasi tyrog cadwyni Sciora a Bondasca, uwchben y dyffryn cul a'r castanwydd, yw unig ogoniant Soglio, ond hanner dwsin *palazzo* gwych a godwyd rhwng yr unfed ganrif ar bymtheg a'r ddeunawfed ac, yn amlwg dros y cyfan, dŵr to crwn eglwys baróc *Brotestannaidd*: i Annibynnwr Cymraeg, un o nodweddion mwyaf gogleisiol Val Bregaglia Eidaleg ei hiaith lenyddol, a'r holl Engadin Ladin hefyd, yw gweld eglwys ar ôl eglwys eithriadol gain yn nwylo Eglwys Efengylaidd ryddfrydig y canton: yma, fesul ardal y penderfynwyd tynged y Diwygiad Protestannaidd. Fel Samuel Baker, awdur *Alps and Sanctuaries*, rwyf wrth fy modd yn ymweld ag eglwysi Val Mesocco, un o gymoedd Eidaleg a Phabyddol y Grischun. Ond i mi, mae'r ymatal dwys piwritanaidd y tu mewn i amlinell baróc yn rhagori hyd yn oed ar eglwysi addurniadol mor wych â Santa Maria di Calanca.

Wedi cyrraedd Soglio o'r bwlch, af gyntaf i'r Casa Battista, un o blastai teulu Salis wedi ei droi'n westy, gan gerdded trwodd i'r ardd derasog gysgodol yn y cefn. Synnwn i ddim nad yno y bydd

---

* Yn ôl un ffynhonnell, Jon Klos Zadrell oedd enw'r gweinidog a groesai'r bwlch ond anodd credu nad ynghylch yr un gŵr y tyfodd y ddwy chwedl!

y teulu'n llowcio mafon cochion mewn gwydrau hir o hufen neu, a hithau'n digwydd bod yn nosi, yn blasu tafelli meinion o *Puolpa* neu *Bündnerfleisch*, cig eidion wedi ei sychu yn awel y mynydd, a'i olchi i lawr – wrth gwrs – â'r Val Tellina, y Vuclina, y Veltliner coch.

Lischana

Fy nhad a'm difethodd gyntaf, trwy wneud imi gymryd yn ganiataol y buasai rhywun i ddisgwyl amdanaf ac i'm hebrwng adref ym mhen draw pob taith hir ar draws y mynyddoedd: o Oerddrws i Islawrdref, o Lanbedr yn Ardudwy i Lanelltyd, o Gerrig-y-Drudion i'r Ganllwyd, o Gapel Curig i Groesor. Arno ef hefyd mae'r bai am hau hedyn fy obsesiwn gyda bylchau. Ar Fwlch y Rhiwgyr roedd hynny, wrth fynd o Bermo i'r Bontddu ar hyd Llawllech. Dyna'r tro cyntaf erioed imi gael blas ar daith hir ar droed. Faint oedd fy oed? Tuag un ar ddeg, efallai, neu ddeuddeg. Wrth i'r olygfa ddod i'r golwg yn ffrâm y bwlch – yr Wyddfa a Moel Hebog a phenrhyn Llŷn; Ardudwy a Mochras a'r môr ac Enlli – dyfynnodd fy nhad o soned Keats:

> Then felt I like some watcher of the skies
> When a new planet swims into his ken;
> Or like stout Cortez when, with eagle eyes
> He stared at the Pacific – and all his men
> Look'd at each other with a wild surmise –
> Silent, upon a peak in Darien.

Ni phetrusodd fy nghof eiliad wrth sgrifennu'r geiriau yn awr. Athro Saesneg oedd fy nhad wrth ei alwedigaeth. Ni soniodd y tro hwnnw am Adar Rhiannon 'yn y perl gynteddoedd sy'n agor ar yr hen anghofus fôr'. Ond yn ei achos ef, ac yn fy achos innau, arweiniodd gwerthoedd beirdd rhamantaidd mawr Lloegr yn anochel at gariad tuag at y mynyddoedd, tuag at Gymru a thuag at yr anweledig gôr sy'n canu i arloeswyr a phererinion.

Ar Pass da Val Viola (2432m; 7981 tr.) yr oedd Margaret, Gruffudd a minnau y diwrnod y bu farw fy nhad yn sydyn yn ei gwsg yn nhŷ ei frawd. Cofiaf Gruff yn neidio yn ôl ac ymlaen dros y ffin rhwng y Swistir a'r Eidal. Cofiaf lond ffridd o'r pabi melyn sy'n gyffredin i'r Grischun ac i Gymru. Cofiaf ddychwelyd i gaban Saoseo a'i gael yn gyfan gwbl ar ein cyfer ni ar wahân i chwiorydd ffraeth yr hen lanc o geidwad, a oedd wedi cerdded i fyny o'r dyffryn i roi trefn ar y gegin. Gan fod y lôn wedi ei gwahardd i drafnidiaeth anamaethyddol, ychydig o ymwelwyr sy'n treiddio i Val da Camp ar ochr ddeheuol Bwlch Bernina. Ond sut y gellid rhagori ar gyfuniad Val Viola, y cwm yn ei ben draw, o dyrau Gothig uchel, cyfagos, o feysydd eira dilychwin, pell, o laslyn a fforest a phorfa?

Roeddwn wedi croesi bwlch mwy difrifol na bwlch Val Viola cyn i'r newydd am fy nhad ein cyrraedd. Wedi inni godi pabell yn Zernez yn yr Engadin Isaf, roeddwn wedi mynd i fyny i gaban Lischana, rhyw bedair awr uwchben tref Scuol, gan obeithio esgyn Piz Lischana yn y bore: yn y gwres mawr, roedd yn well gan y teulu gael prynhawn yn y pwll nofio. Roedd dau bâr ifanc o Kloten yn y caban gyda'u plant, fodd bynnag, dyrnaid o fyfyrwyr o Wlad Belg, tan fawd a chyfaredd un Swedes dal, benfelen, a dim ceidwad. Rhannodd y Kloteniaid eu cawl a'u tegell â mi a'm rhybuddio fod cymaint trwch anarferol o eira newydd, ansefydlog ar grib uchaf Piz Lischana nes bod y ddau dad wedi gorfod troi yn eu holau y bore hwnnw cyn cyrraedd y copa: yn sicr nid oedd y mynydd mewn cyflwr priodol i *Alleingänger*. Serch hynny, roedd hi'n nosi'n braf ac oedodd pawb y tu allan ar ôl i'r machlud orffen ysgythru hetiau-dewin pigog y Silvretta yn ddyfnach eto i'w cefndir o ros golau. Rhythais ar grib ogledd-ddwyreiniol ddu, hirfain, ddidrugaredd Piz Verstancla a chofio llinellau olaf y gerdd a ganodd Armon Planta o Sent, uwchlaw Scuol, ar ôl ei dringo gyda'i fab:

I lawr yn y cwm
a chytgord yn anodd
oni fyddwn ni'n troi
at hyn
mewn atgof (*in algordanzas*)

Bardd, dringwr, hanesydd, radical, athro ac ymladdwr dros ei iaith oedd Armon Planta. Cofiais y geiriau a sgrifennodd ar gopi o gerdd arall, ar sgïo traws-gwlad, a gyflwynodd imi dros baned yng ngwesty Filli, ar ôl imi ddarllen iddo fersiwn Gymraeg o'i gerdd i'r Verstancla: 'In buna algordanza a nos tramagl' (coffa da am ein cyfarfod). Yna cofiais fod pum mlynedd ar hugain wedi mynd heibio ers imi ddringo'r Silvrettahorn o ochr y Voralberg, tan arweiniad Dieter, myfyriwr o Carinthia na allai fforddio sgidiau dringo yn ogystal â'i sgidiau sgïo. Yr adeg honno, prin fy mod yn sylweddoli mai ar y Swistir yr oeddwn yn edrych i lawr o'r copa. Yn awr roedd goleuadau Scuol, bedair mil o droedfeddi yn union oddi tanom, yn deffro rhes o atgofion am y plant. I mi, Scuol yw Dolgellau'r Swistir: Dolgellau, 'the Switzerland of Wales', yn ôl hysbysebion yr hen Gyngor Tref.

Canodd ac athronyddodd y myfyrwyr beth cyn noswylio. Ceisiais esbonio tipyn am Gymru wrthynt. Ond erbyn deg nid oedd dim yn ystwyrian ond yr oerfel ym mhren y caban.

Drannoeth, codais o flaen pawb a chychwyn yn llechwraidd rhwng y creigiau i ben draw cwm uchel Lischana. Roedd hi wedi rhewi ac ymhen awr a hanner gallwn grampona'n rhwydd i fyny at bwynt uchaf y grib rhwng Piz Lischana a Piz San Jon. Yma ar y Fuorcla Lischana neu Lischanasattel (2943m; 9657 tr.) roeddwn ar ymyl glasier bychan, Vadret da Rims, a adawodd, wrth grebachu, filltir a hanner sgwâr o lynnoedd bychain a meini mawrion a phantiau rhychiog, troellog, rhwng Cwm Lischana a'r cwm cyfatebol ar ochr ddeheuol y mynydd. Roedd yr eira mawr a lethodd y Kloteniaid wedi cuddio olion pob llwybr a phob marc gwyn-coch-gwyn ar y llwyfandir hwn. Prin yr oeddwn wedi penderfynu croesi'r bwlch yn hytrach na mentro ar hyd crib ddeheuol Piz Lischana, pan welais niwl yn ymestyn yn gyflym o'r gogledd-ddwyrain. Yn ôl y llawlyfr, dim ond mewn un man gwan y gellid mynd i lawr y dibyn yr ochr draw i lynnoedd bychain Rims: 'Bei Nebel schwer sich durchzufinden' yw ei ddedfryd am yr holl lecyn − 'Yn y niwl anodd darganfod eich ffordd trwodd'. Nid oeddwn wedi mynd i'r arfer o brynu mapiau 1:25,000 yr adeg hynny. Wrth i ambell blwc o wynt godi'r niwl am ennyd, daeth yn amlwg nad oedd y map 1:50,000 yn ddigon manwl mewn lle fel hyn. O'r diwedd, ymhen rhyw hanner awr, cyrhaeddais dorlan ddofn a'r eira bron â chuddio ei ffrwd. Os oeddwn yn agos i'r lle iawn (Punkt 2687) roedd y ffrwd yn llifo i'r cyfeiriad anghywir, neu felly yr ymddangosai. Ond na, roeddwn tua dau ganllath yn rhy bell ymlaen, yn ôl pob tebyg, dau ganllath arall yn rhy bell i'r dde a dau gan troedfedd yn rhy uchel. Mentrais ar hyd pont eira ar draws y ffrwd. Goleuodd y niwl beth o'm blaen. Synhwyrais, yna gwelais, ymyl dibyn. Roedd hi'n hen bryd. Gan ofalu nad oedd bargod brau tan fy nhraed, sylwais fod y llethr eira serth oddi tanaf yn lleddfu ymhen llai na thri chan troedfedd, gan wastatáu'n drugarog yn y gwaelod. Os oeddwn i gyrraedd Zernez gyda'r trên olaf o Scuol, roedd amser eisoes yn brin ac roedd cyfle yma i dorri cornel. Yn lle chwilio am Punkt 2687, felly, profais y llethr gyda thalpiau o eira, gyda'm caib a chyda'm troed. Roedd yr eira yn ddigon sad. Doedd ond gobeithio na fyddai'n troi'n rhew hanner ffordd i lawr, fel y digwyddodd unwaith i Margaret a minnau, ar Monte del Forno amser maith yn ôl. Tri neu bedwar cam petrus ar fy sodlau, fodd bynnag, a ffon y gaib i mewn yn ddwfn, a gwyddwn fod yr eira mewn cyflwr delfrydol.

A'r niwl ymhell uwch fy mhen, a'm camau'n cyflymu, cododd amheuon o fath gwahanol. Roedd y grognant oddi tanodd yn arwain i lawr tua'r de-ddwyrain, trwy hafn greigiog gul, at alp uchel Sursass. Yn ôl y map, tua'r gogledd, i gyfeiriad yr Engadin Isaf, roedd cwm Sursass yn agor. Ond yn ôl fy llygaid, roedd ei ogwydd tua'r de, i gyfeiriad yr Eidal: roeddwn o fewn milltir neu ddwy i'r ffin. A oeddwn wedi mynd llawer mwy na dau ganllath ar gyfeiliorn yn y niwl? Ar waelod y llethr, bodiais y map a throi'r cwmpawd yn wyllt. Ni welwn sut y gallwn fod wedi camgymryd ond, os oeddwn, buasai'n rhaid treulio noson yn yr Eidal. Erbyn cyrraedd y cwm, gwelais fy mod yn iawn wedi'r cwbl: tua'r de yr oedd y *llethrau* o'i gwmpas yn gogwyddo cyn cyfarfod ar fwlch isel ar ffin yr Eidal, Pass da Schlingia: ond roedd yr afon, hithau, yn llifo tua'r gogledd mewn gwely dwfn: ac ym mhen gogleddol y cwm, roedd yr afon wedi hollti craig uchel ddu er mwyn dianc oddi yno. Yma, roedd y llwybr yn diflannu i dwnnel. Ni welais erioed geunant meinach na mwy serth ei ochrau nag Il Quar, y ceunant sy'n gollwng yr afon o Alp Sursass. Nid yw'r Via Mala ei hun mor gyfyng. Heb fod ymhell o'r twnnel, roedd maen enfawr fel y Maen Bras ar yr Wyddfa. Eisteddais oddi tano yng nghanol y bydysawd gwelltog cwbl gudd hwnnw i fwyta'm bara caws, gan gredu fod pob helbul drosodd, ac ymlacio; er bod rhagor nag uchder yr Wyddfa yn dal rhyngof a'r dyffryn, bum milltir dda i Sur En ar yr afon, a phedair eto i orsaf Scuol.

Wedi mynd gam neu ddau i'r twnnel, fodd bynnag, gwelais ei fod yn llawn i'r ymylon o hen eira caled a rhew. Yr Eidal amdani? Buaswn yn gorfod dringo uchder Cadair Idris i ddychwelyd i'r Lischanasattel. Ac roedd y mynyddoedd o boptu'r Quar yn codi mil pum cant o droedfeddi o'r lle y safwn: ni ellid meddwl am gwmpasu eu creigiau heb ychwanegu o leiaf ddwy filltir annelwig at y daith. Cyn troi, rhoddais un cynnig ar gloddio trwy'r eira gyda'm caib. Rhyw chwe throedfedd i mewn, roedd yn gau. Cropian trwy dwll wedyn a cherdded deg llath ymlaen, ond roedd tri chorcyn arall yn y botel hanner canllath hon, gan fod ambell ffenestr yn ochr unionsyth y ceunant. Ond o'r diwedd roedd gras y twnnel, gyda pheth cymorth oddi wrth weithredoedd y pererin, yn drech na chrai amhosibl y ceunant. A dyna'r llwybr nadd delaf a welwyd erioed yn arwain i lawr at baradwys o gwm mawr cysgodol 'U bedol', glas ei borfa, talsyth ei goed, trwsiadus ei ddwy hendre. Darllenais wedyn nad ar gyfer bugeiliaid y torrwyd y llwybr a'r twnnel. Agorwyd hwy yn 1910 fel rhan o lwybr pellter hir o Lindau ar Lyn Constans i Fenis. Yn ystod y dirwasgiad ar ôl y Rhyfel, a'r diriogaeth ar draws Bwlch Schlinglia wedi ei throsglwyddo gyda gweddill De'r Tirol o Awstria i'r Eidal, anghofiwyd am y llwybr pellter hir. Ni welais enaid byw yr holl ffordd i Sur En.

Val d'Uina oedd enw'r cwm o'm blaen yn awr – ai cwm yr oen neu'r ŵyn, neu gwm y gwin, wn i ddim: yn ôl fy ngeiriadur Ladin, *agne* yw oen a *üj* yw gwin ond mae llawer i air Romaneg yn rhyfedd o debyg i'r Gymraeg. Ganrif a hanner yn ôl, roedd dau ddwsin o deuluoedd yn byw yn y cwm, a thatws, rhyg a barlys yn tyfu mor uchel â 1800 metr. Ond roedd yn amhosibl creu ffordd ddiogel i lawr y creigiau at y dyffryn a chadw'r bont dros Afon En yn gyfan trwy'r gaeaf. Rhwng hynny a difrod dau fath o greadur rheibus, morgeiswyr ac eirth, diboblogwyd y cwm bron yn llwyr: lladdwyd yr arth ('uors') olaf yma yn 1897, a'r olaf yn y canton yn 1904, onid ydynt yn croesi'r ffin yn ôl eto o'r Eidal. Hanner ffordd rhwng y ddwy fferm, Uina Dadaint a Uina Dadora, Uchaf ac Isaf, pasiais hen faen melin ag arno bennill i'r perwyl nad oedd y felin heddiw'n malu:

> Restanza dal muglin
> d'Uina Dadora e Dadaint
> Usche tuot piglia a fin
> que tegna adimaint.

'Mae'r diwedd yn dod i bopeth. Nac anghofia hynny,' ebe'r cwpled olaf ond roedd fy nhaith innau ymhell o ddod i ben. Wedi cyrraedd y dyffryn yn Sur En a cholli'r bws melyn olaf o Crusch, roedd gennyf tua deugain munud ar gyfer tair milltir a hanner o ffordd fawr cyn cyrraedd gorsaf Scuol. Anaml y byddaf yn rhedeg, ond agorais ddrws y cerbyd un funud yn union cyn i'r trên gychwyn. Erys un atgof arall: yn fy ymyl ar y trên eisteddai hogyn saith oed yr un ffunud â Uorsin, arwr y llyfrau plant. Pan arhosodd y trên yn *Haltstelle* F'tan, ar gais, yn y tywyllwch, gofynnodd rywbeth imi yn Romaneg. Syllai pawb arall o'u blaenau yn fud. Wrth gwrs, gofyn yr oedd ai hwn oedd Guarda. Ysgydwais fy mhen yn bendant ac erbyn i'r trên gyrraedd gorsaf Guarda, ymhell islaw y pentref, roedd y tocynnwr tadol wedi cyhoeddi hynny ac yno yn wir yr aeth Uorsin allan at ei fam.

Drannoeth, yn y blwch ffôn ger eglwys Zernez, cawsom y newydd fod fy nhad, yntau, wedi croesi gwaeth bwlch nag Oerddrws ein cynefin. Ai dyma gyfrinach bylchau? Nid yn unig eu bod, weithiau, yn arwain dros ffiniau gwledydd a diwylliannau, neu adref dros y garreg i Feirionnydd y teulu, ond bod ein teithiau drostynt yn adlewyrchu holl droeon yr yrfa? A thaith credadun y tu hwnt. A'm hynafiaid pell wedi eu llethu gan bendrondod, ym mha ffurf bynnag, ai yn y bererindod ddwywaith i Dyddewi, neu unwaith i Rufain ei hun yr ymgysurasant, neu, yn nes atom, yn y daith i Langeitho neu'r Bala? Croesi'r Alpau oedd allwedd y daith i Rufain. Dros Fwlch y Groes yr aeth ugeiniau i'r Bala. Trwy fwlch amheuaeth neu fwlch yr argyhoeddiad yr awn i gyd yn y man. Os oes yna stafell ddirgel yng nghanol holl bendro bodolaeth, beth am y trigfannau lawer yr ochr draw? Fel yr arferai un o'm hen gymdeithion mynydd adrodd wrtho'i hun ers talwm wrth wynebu arswyd o lethr:

> Wel f'enaid, dos ymlaen
> 'Dyw'r bryniau sydd gerllaw
> Un gronyn uwch, un gronyn mwy,
> Na hwy a gwrddaist draw.

Croesi'r Greina

Pass Diesrut (2428m; 7953 tr.)

O'n tŷ ni, mae'r olygfa tua'r de yn cynnwys amryw o gewri Eryri – Yr Elan, Carnedd Ddafydd, Pen yr Ole Wen, y ddwy Gluder, Carnedd y Filiast ac Elidir Fawr yn eu plith. Yr olygfa i'r dwyrain yw'r olygfa nodweddiadol Gymreig, fodd bynnag – llyfnder llwydfelyn Foel Wnion a'r bwlch llydan rhyngddi hi a phigyn bychan Gyrn, tomenni dwy chwarel wedi cau, fferm neu ddwy a'r caeau uchaf ar y dde yn bentwr onglog gwyrdd yn erbyn meithder y ffridd neu'r niwl – a rhes amrywiol o dai a bythynnod llwyd, lliw hufen neu wyn, gydag eglwys fechan ar y chwith iddynt a chapel Methodus solet ar y dde. O leiaf, dyna fel yr oedd nes inni ddychwelyd o'r Grischun un haf, darganfod fod Peniel (M.C.) wedi diflannu, a gorfod prynu darlun rhag anghofio amdano, *collage* gan y carthennwr mawr – a'r Annibynnwr selog – o Fethesda, Cefyn Burgess, gyda darnau o hen lyfr emynau hyd yr ymylon ac, o flaen drysau Peniel, bennill o'r emyn yna gan Morgan Rhys a genir fel arfer ar *Rhosymedre*, gan orffen:

CROESI'R GREINA

Dewch, hen ac ieuanc, dewch,
At Iesu, mae'n llawn bryd;
Rhyfedd amynedd Duw
Ddisgwyliodd wrthym cyd:
Aeth yn brynhawn, mae yn hwyrhau;
Mae drws trugaredd heb ei gau.

Cawsom ar ddeall fod yr adeilad wedi mynd yn beryglus, nad oedd digon o arian i'w gynnal, a bod hen ddigon o le yn y festri ar gyfer yr aelodau. Nid oedd Peniel wedi ei restru, prin fod camp ar ei bensaernïaeth, ond heb ei amlinell gadarn, gymen a'i symbolaeth unigryw, collodd Llanllechid beth o'i chytbwysedd gweledol yn ogystal â'i hanes. Llithrodd Foel Wnion hithau'n nes i'r ebargofiant hwnnw sydd yn aros pob mynydd wedi i ddynion roi'r gorau i ddyrchafu llygaid iddo.

Roedd Margaret a minnau newydd fod yn aros yn y Surselva, dyffryn y fwyaf gogleddol o ddwy brif gainc Afon Rhein, ardal lle mae eglwysi'n rhan drawiadol o bob golygfa. Ychydig uwchben Mustér – Disentis yn Almaeneg – gallwn weld nid yn unig dalcen deudwr baróc ac eto moel ac eto ysblennydd yr abaty Benedict-aidd, ond hefyd dyrau main llan ar ôl llan yn arwain i lawr y dyffryn tua'r dwyrain; uwch ein pennau hefyd, roedd tyrau llai yn y golwg, yn ymyl mân bentrefi heulog y silffoedd, heb sôn am gapeli bychain ar gyfer hafodydd y ffriddoedd comin, a chreirfeydd gorchuddiedig ar fin y ffyrdd. Er bod addurniadau rhai ohonynt yn dod mor agos at fod yn *Kitsch* ag ambell emyn i blant o'r *Caniedydd* fel y Milwr Bychan (er cywilydd i neb llai na Joseph Parry a Thomas Levi), weithiau mae'r argraff o eurychwaith a marmor gwyn a nenfydau gleision yn llawn goleuni bywiol – megis yn eglwys fawr yr abaty ei hun, sydd bron yn deilwng o offeren Haydn yn Eb *in honorem Beatissimae Virginis Mariae*, yr Offeren Organ Fawr, er bod y penseiri baróc yn llawer llai cyson eu chwaeth na'r cyfansoddwyr, i'm tyb i. Rhaid gofyn hefyd a yw'r arddull rococo yn gydnaws ynddo'i hun â chynildeb yr Efengylau a Paul – ag unplygrwydd Moses yn hytrach nag apêl Aaron i'r galeri; os caf aralleirio dedfryd adnabyddus y Maréchal

36

Bosquet ar y Charge of the Light Brigade: 'C'est magnifique, mais ce n'est pas le christianisme.' Yn allanol, eglwysi cymharol syml a welir ym mhentrefi'r Grischun, fodd bynnag: nid oes ganddynt chwaith y fantais arbennig sy'n perthyn i ffasadau a thyrau a chromenni baróc o'u cyd-leoli mewn cynghanedd agos, megis yn Salzburg a Phrâg, Fenis a Rhufain. Eto i gyd, mae gwerth addurniadol a symbolig i'r rhan fwyaf ohonynt. Yng Nghymru hefyd, hyd yn oed os oes angen rhyddhau adnoddau trwy ddymchwel llawer o gapeli, gobeithio yr ystyriwn arbed o leiaf ffasadau'r rhan fwyaf i'n hatgoffa o gamp ein hynafiaid tlodaidd, diarffordd a di-grant. Wedi cwblhau ei waith ar amrywiaeth capeli Dyffryn Ogwen, mae'n beth ardderchog fod Cefyn Burgess yntau'n bwriadu anfarwoli pob un capel ar ffordd fawr yr A470 rhwng Caerdydd a Llandudno.

Dim ond yn ddiweddar y daeth twristiaeth fasnachol galed o hyd i'r Surselva ac mae'n dal yn gymharol wylaidd. Dyma'r cryfaf o ddau gadarnle'r Reto-romaneg – yr Engadin Isaf Brotestannaidd yn ne-ddwyrain y Grischun yw'r llall. Yn y Surselva y sefydlwyd un o'r tair Cynghrair gymunedol a ryddhaodd y Grischun oddi wrth Ymerodraeth Awstria a ffiwdaliaeth yr Oesau Canol – y Gynghrair Lwyd ei hun, y Grau Bund, a ffurfiwyd yn nhref fach Trun yn 1424 ac a roddodd ei enw i'r Grischun gyfan yn y man. Yma hefyd, ar un ystyr, y tarddodd un o ffrydiau pwysicaf yr arfer o ddringo mynyddoedd er mwyn y peth ei hun. Ar ystyr arall, bid siŵr, o'r dinasoedd y tarddodd alpyddiaeth – o'r ffaith fod y Mont Blanc i'w weld o gei Genefa, ar dywydd clir, a bod yr Eiger, y Mönch a'r Jungfrau mor amlwg o derasau Bern. Ond nid awgrymodd neb y dylid sefydlu clwb alpaidd, na chodi cabanau i ddringwyr, yn gynharach na Placi – neu Placidus – à Spescha, un o fynachod Abaty Mustér, mab ffarm o Trun a gredai mai dim ond *imbécile* a fuasai'n troi cefn ar ei famiaith. Nid oes sôn am neb o flaen Placi yn ymroi i esgyn copaon uchel mor gyson a chyda'r fath awch. Pe bai copaon y Surselva yn uwch ac yn enwocach, buasai Placi ei hun yn fwy adnabyddus. Er mor wyllt yw'r holl gopaon deg ac un ar ddeg mil o droedfeddi a esgynnodd, fodd bynnag, y ffaith nad ydynt mor amlwg â'r Mont Blanc a'r

Jungfrau yw'r dystiolaeth orau bosibl mai rhywbeth er ei fwyn ei hun oedd mynydda iddo, mai Placi yw'r hynaf o dadau mynydda fel y cyfryw. I ni a fagwyd yn y mynyddoedd, i ni sy'n gwybod mai ein rhagflaenwyr ni a'u crwydrodd gyntaf erioed – ac a ddringodd lawer o'u creigiau gyntaf hefyd, yn ddi-sôn-amdanynt – i ni sy'n siarad yr un ieithoedd ag enwau'r mynyddoedd, mae hynny'n werth ei wybod.

Am Placi yr oeddwn yn meddwl wrth aros am funud o fyfyrdod – nage, o weddi ddistaw, pam lai? – yng nghapel bychan Puzzatsch, y capel ym mhen draw cwm Lumnezia (Lugnez yn Almaeneg), ar ddiwedd Gorffennaf 1991. Oddi yno bwriadwn gerdded dros Fwlch Diesrut i Camona da Terri, un o gabanau Clwb Alpaidd y Swistir, ac ymlaen drannoeth dros Fwlch y Greina i Gwm Blenio ar ochr ddeheuol yr Alpau. Nid mynyddwr yn unig mo Placi, ond – o fynach – gŵr ymhell o flaen ei oes fel ysgolhaig amlochrog a rhyddfrydig a gefnogai egwyddorion y Chwyldro Ffrengig. A Ffrainc ac Awstria yn brwydro dros y Grischun yn 1799, difethwyd y rhan fwyaf o'i gofnodion a'i gasgliadau daearegol pan losgwyd yr abaty gan fyddin y naill, ac y drwgdybiwyd ei ryddfrydiaeth gan fyddin y llall. Wedi iddo godi testun pregeth o drydedd adnod Salm CXLVI, 'Na hyderwch ar dywysogion', cipiwyd ef gan yr Awstriaid a'i alltudio i Innsbruck – digwyddiad ffodus ar un ystyr, gan iddo daro yno ar alltud arall gyda diddordeb ysol yn y Rhetoromaneg, y gweinidog Protestannaidd Mattli Conradi, a gyhoeddodd ramadeg gyntaf yr iaith yn 1820, er ei fod yn dipyn o William Owen Pughe o ran ei orgraff. Yn Puzzatsch y traddododd Placi y bregeth dramgwyddus honno – Puzzatsch o bobman, casgliad o ryw hanner dwsin o ffermdai, tua 25 kilometr o'r dref agosaf ac ymhell dros 5,000 o droedfeddi uwch lefel y môr. Prin fod lle i ragor na dau ddwsin yn y capel bychan. Buasai wedi bod yn haws codi cynnwrf yn Soar y Mynydd.

Pa mor anghysbell bynnag yw Puzzatsch heddiw, pa mor ddinod bynnag ydoedd pan oedd llwybrau troed a mul yn rhan o rwydwaith cysylltiol yr Alpau, rhaid sôn am ei gapel amlonglog un stafell, a godwyd o'r newydd yn 1643, a'i gysegru i Sant Ffolant. Yn ôl yr arfer y ffordd hyn, addurnwyd y tu mewn â thair

allor lachar, amryliw, ddigon chwaethus o'u bath. Nid yn unig
hynny: uwchben yr allor ar y chwith, gwelir cerflun pren,
peintiedig, llawn cymeriad gwledig, o'r Forwyn Fair, o weithdy
Ivo Strigel o Memmingen, ger Ulm, un o feistri De'r Almaen yn
yr arddull gothig hwyr. O'r gweithdy hwn hefyd y daeth y
cerfluniau o Ioan yr Efengylwr ac o Sant Theodul, ar y brif allor
ym mhen draw'r capel, o boptu olew o'r Forwyn a'i Mab. I
ddiwedd y bymthegfed ganrif y perthyn gwaith Strigel, a fu farw
yn 1516; 1731 yw'r dyddiad ar y brif allor ond trosglwyddwyd y
cerfluniau iddo o eglwys gymuned Vrin, pentref uchaf y cwm,
mae'n debyg oherwydd bod yr adeilad cain hwnnw wedi derbyn
uchel allor newydd baróc o waith Johannes Ritz, pencampwr
teulu o feistri bychain a ddaeth i'r amlwg yn Wallis yn gynnar yn
y ddeunawfed ganrif.

Ac ystyried maint ei bentrefi a gogwydd ei dir, byddaf yn
rhyfeddu at bensaernïaeth eglwysi baróc cwm hirgul Lumnezia,
sydd â golwg mor ddieithr o Eidalaidd arnynt yn ymyl y clystyrau
tai tywyll o bren deifiedig ar seiliau carreg, tan eu bargodion
mawr. Yn y bôn, byd o flodau cochion mynawyd y bugail o flaen
ffenestri bychain yw hwn yn yr haf. Boncyffion crynion, bras yr
ysguboriau yw'r allwedd i'w gymeriad, a'r pentyrrau trwsiadus o
goed tân sy'n barod am y gaeaf ymhell cyn diwedd Medi. Eto i
gyd, perthyn i'r Grischun y mae tri neu bedwar cwm Eidaleg eu
hiaith ar ochr ddeheuol yr Alpau hefyd ac oddi yno y daeth rhai
o'r penseiri maen. Yr oedd Val Mesocco yn perthyn i'r Gynghrair
Lwyd o'r dechrau: gellir olrhain gwaith ei seiri a'i stwcodoriaid ar
draws Ewrop cyn belled â Moscow. Yn yr un diwylliant y
codwyd Borromini ei hun, pensaer rhai o eglwysi baróc uchel
mwyaf trawiadol Rhufain, Sant' Ivo alla Sapienza a thŵr Sant'
Andrea delle Fratte yn eu plith: yn y Ticino, ar lan Llyn Lugano,
y magwyd yntau.

Rhyw fis Mawrth tua phum mlynedd ar hugain yn ôl yr
ymwelais gyntaf â'r Lumnezia, a'r eira yn dew a dim diwydiant
sgïo gwerth sôn amdano i amharu ar y tangnefedd bugeiliol.
Cyfweld swyddogion cymunedau yr oeddwn, yng nghwmni
arolygydd cyllidol – ond rhadlon – y canton, Theo Candinas,

yntau'n frodor o'r Surselva. Wrth fod rhai o'r ffyrdd uniongyrchol ar gau, gwelsom ragor o bentrefi nag a fwriadwyd. Gwnaeth eu heglwysi y fath argraff arnaf nes imi gael breuddwyd lachar am un ohonynt ar ôl dod adref i Gymru. Anaml y byddaf yn cofio breuddwyd ond y mae hwn gyda mi o hyd – eglwys faróc uchel ei thŵr nionyn, a'r gynulleidfa'n tyrru o'i chwmpas yn yr eira, ac eira'r mynyddoedd mawr chwyddedig o gwmpas yn creu'r argraff o nefoedd henffasiwn lawn ewfforia ac aduniad a thelynau aur yn yr haul a than awyr las. Nid wyf yn siŵr ai eglwys Vrin ydoedd, ynteu Lumbrein neu Vignogn neu Cwmbels, neu Pleiv ger Villa – mam eglwys yr holl gwm – neu gymysgedd ohonynt i gyd. Y rhyfeddod yw bod cynifer ohonynt wedi manteisio ar grefft y Swabiaid yn y cyfnod gothig, ac yna ar grefft Lombardi, a chymoedd Eidalaidd y Swistir, yn y cyfnod baróc. Am gynulleidfa'r freuddwyd, y tu allan i gapel Annibynnol Llandeilo Llwydarth ger Maenclochog yn yr hen Sir Benfro y gwelid y rhan fwyaf ohonynt hwy fel arfer, gan gynnwys ein teulu ni. Ar y pryd, a thrwch y boblogaeth yn dal i fynd i'r capel ac i ganu'r pwnc, mi roedd yr ardal honno hefyd yn dipyn o baradwys i ni, ac yn ddigon eiraog ambell waith i'r plant fedru sgïo i'r ysgol.

Ar ôl tywyllwch capel Puzzatsch, roedd gwres haul hanner dydd yn troi'r stryd yn bopty wrth inni sefyll yn bâr o flaen y drws, megis ar ôl rhyw ail briodas fud, ddibwysau. Teimlwn yn ynfyd i ffarwelio â Margaret. Gwyddwn y buaswn mor hunandosturiol am ysbaid â Manfred yn crwydro'r Alpau heb ei Astarte goll – 'she had the same lone thoughts and wanderings' – ac eto'n sicr y buasai'r Astarte hon yn mwynhau gyrru'n ôl i Mustér heb feirniad diangen wrth ei hymyl. Tri pheth i greu anghydfod rhwng Cymraes a'i gŵr – car â'i lyw ar y chwith, gyrru ar y dde, a ffordd gul rhwng dibyn a chraig. Ond, a'n mamau ni'n dau yn ferched ffarm, a ninnau wedi profi mwy o ramant ffermydd na'u caledi, safem yno am hydoedd yng nghysgod yr ysgubor fwyaf cyn gwahanu, gan anadlu aroglau melys hen wair a gwylio gwair newydd yn sychu ar groesau pren y llethrau. Ymhell i fyny ger yr hafodydd pellaf roedd hynny o bobl a oedd yn dal ati i fugeilio.

Rhwng y mynyddoedd y tu ôl i'r hafodydd, gwelid bwlch amlwg yn erbyn yr awyr las a diolchais nad Bwlch Diesrut mohono ond, a barnu yn ôl y map, Fuorcla da Ramosa, dros dair mil o droedfeddi serth uwch ein pennau. Ar i lawr yr aeth fy llwybr innau felly, cyn croesi dyfroedd Aua da Ramosa a dechrau dringo'n raddol ar draws llethrau gwyrddion dinodwedd ond didrugaredd er mwyn osgoi'r creigiau ym mlaen y cwm. Wedi dal ati am awr neu fwy, pasiais un teulu bach yn torheulo ac yna hafoty gwag Alp Diesrut. Roedd yna ragor o hafotai draw ar y dde. Oddi yno, mae'n siŵr, y daeth y piser llefrith a adawyd mewn ffrwd fechan ger y llwybr, ynghyd â rhes o biseri bychain yn cynnwys gwahanol flasau i'w hychwanegu i'r llefrith, rhes o wydrau, ac arwydd yn eich gwahodd i helpu'ch hunan am hyn a hyn y gwydraid, a hyn a hyn y blas. Cofiais y stori am Dduw yn cwblhau'r Ddaear trwy lunio'r Swistir glasierog gyda'r sbarion, yna'n trugarhau wrth y Swis cyntaf trwy gynnig gwireddu unrhyw dri dymuniad iddo. Alp glaswelltog oedd y dymuniad cyntaf, buwch i bori ar yr alp yr ail. Wedi derbyn yr alp a'r fuwch, aeth y Swis cyntaf yn ei flaen i odro'r fuwch ac estyn mwg o lefrith i'r Hollalluog. 'A'ch trydydd dymuniad?' gofynnodd Hwnnw ar ôl torri ei syched. 'Dwy ffranc, 50, os gwelwch yn dda.'

Roedd yn bryd i minnau fwyta fy mrechdanau caws Appenzell. Eisteddais yn ymyl un o'r meini cawraidd a adawyd yma ac acw ar y ffriddoedd gan drai rhew'r cynfyd, broc glasier oes na allwn ni mo'i hamgyffred. O edrych yn ôl, gwelais gymylau duon yn crynhoi dros Piz Aul, mynydd 3121 metr clasurol ei siâp sy'n codi'n un llethr yr ochr draw i gwm Lumnezia. Cofnododd Placi esgyniad yn 1801, ond yn ôl y *Clubführer* efallai fod rhyw Christian Janken o Obersaxen wedi bod yno o'i flaen gyda'r heliwr *chamois* arferol. Piz Terri yw arwr-fynydd y cylch hwn, fodd bynnag, a dyna lle'r oedd ei driongl du yn dod i'r golwg fel asgell siarc tua'r deau. Rhyngof ac ef, yr ochr draw i flaen cwm, ymestynnai clawdd du syth bygythiol am ryw ddwy filltir − Fil Blengias yn ôl y map − ar uchder eithaf cyson o gwmpas y 2500 metr, gydag ymyl lwyd o ddebris yn disgyn i anialwch o gerrig oddi tano. Erbyn hyn, roedd un o geinciau'r Aua wedi codi ataf o'r cwm. Dilynais hi i fyny'r hafn sy'n arwain at y bwlch. Wedi cyrraedd, heb orfod croesi fawr ddim eira er gwaethaf uchder o ryw 8,000 troedfedd, syfrdanwyd fi gan ddyfnder y ceunant ar waelod y dibyn wrth fy nhraed, ac uchder ac agosrwydd y clogwyn yr ochr draw iddo, prin filltir i ffwrdd. Yn union oddi tanaf, ond yn amhosibl ei gyrraedd heb amgylchu'r ceunant, safai Camona da Terri ar graig uwchben glan orllewinol yr afon, un arall o is-geinciau Rhein, Rein da Sumvitg. 2170 metr yw uchder y caban ond mae'r llethr y tu draw yn codi'n syth o'r afon bron iawn at gopaon Piz Vial a Piz da Stiarls, dros fil o fetrau'n uwch. Gan fod hanner dwsin o hafnau dyfnion llawn eira yn sgubo i lawr y llethr hon o'r glasier ar ei phen, mae golwg uwch byth arni. Tua'r de-orllewin, fodd bynnag, mae Rhein Sumvitg yn igam-ogamu ar hyd gwely o raean tan ffridd werdd lydan sy'n codi'n hyfryd o raddol at odreon Piz Terri. Dyma Plaun la Greina, gwastadedd y Greina – Waun y Greina i mi – ac yn y man bydd yn rhaid imi adrodd tipyn am ei thynged.

Ar ôl rhuthro i lawr at ei glan, fe allwn fod wedi dilyn yr afon ar i fyny, i gyfeiriad Passo della Greina, ond – a'm bryd ar dreulio noson yn y caban – gwell oedd ei chroesi'n union cyn iddi ddiflannu i'r ceunant ac yna ymbalfalu i fyny creigiau Muot la Greina tua'r gogledd-orllewin am rai cannoedd o droedfeddi. Nid oeddwn wedi disgwyl llwybr mor greigiog i'm harwain i lawr at y caban wedyn, nac awyrgylch mor llethol o wyllt a chyffrous. Yn y man, dyna gyfres o greiglynnoedd bychain bach i demtio dyn i orffwys ar eu glannau ar leiniau gwyrddion yn frith gan fath o heboglys mynyddig melyn. Am hydoedd, gwrthodai'r caban ddod yn nes: pa ots, ac un o'r mynyddoedd uchaf ei barch yn y Swistir wedi dod i'r golwg rhwng muriau'r cwm oddi tanaf, ond yr ochr draw i ddyffryn y brif Rein, uwchben Trun a Sumvitg (Somvix) – y Tödi ei hun, mynydd amlycaf dwyrain y Swistir, talp solet, anodd, anghysbell a glasierog, 3614 o fetrau (11,887 tr.) uwchlaw lefel y môr. Tua chanol y chwedegau, yn Cecil Court, ar ôl rhyw achos cyfreithiol, prynais brint hir, gloywlas olau a chringoch ei naws, o'r panorama pell-gyrhaeddol o ben y Tödi – neu'n hytrach, o chweched ran ohono – a'i gludo yn ei ffrâm ar y trên yn ôl o Paddington i Sir Benfro. Bellach cafodd gartref yn Islawrdref, yng nghegin Caban Cader Idris, yng nghwmni un o ffotograffau Abraham o Owen Glynne Jones. Dysgais bellach ei fod yn un o gampweithiau Alfred Bosshard, arlunydd o Winterthur a geisiai briodi celfyddyd a gwyddoniaeth 'hyd yr ymdrech eithaf': wedi dringo'r Tödi o leiaf hanner cant o weithiau i dynnu lluniau pensil a dyfrlliw, a sicrhau ffotograffau o'r blaendir, cynhyrchodd Bosshard ddeuddeg lithograff lliw, saith metr a hanner ohonynt, ond dim ond pedwar a gyhoeddwyd, tan nawdd Clwb Alpaidd y Swistir, yn 1912 a 1916, gan gynnwys yr olygfa orllewinol agos o'r Greina i'r Maderanertal, ond yn ymestyn draw i Monte Rosa a'r Finsteraarhorn: y pâr gogleddol – a diweddaraf – o'r rhain a brynais innau am y nesaf peth i ddim. Goleuni cymharol dyner y bore hwyr a ddewiswyd iddynt. Yn ôl Albert Heim, meistr y panorama gwyddonol, a dylanwad mawr ar Bosshard, mae'r awyr yn y printiau hyn yn pefrio trwy'r tirlun 'mit einem wunderbaren opalisierenden Farbendust' – gyda rhyw wawr fraidd-gyfnewidiol ryfeddol. Gwêl y beirniad celf Bruno Weber arwyddocâd yn y ffaith fod Bosshard wedi treulio tri diwrnod yn Maloja heb gyfarfod meistr mawr arall y tirlun Alpaidd, 'seinen Antipoden' Giovanni Segantini, a oedd yn byw yno ar y pryd. Serch hynny, mynn fod y 'Tödi-Panorama' wedi agor i'r byd 'dirlun trosgynnol bythol newydd' sy'n cyflwyno'r Grischun fel ucheldir mytholegol – gorucheldir – yn eigion calon yr Alpau. Am wn innau hefyd, dyma'r agosaf erioed i gywirdeb arolygwr tir ddod at gelfyddyd yr arluniwr. Gymaint brafiach fuasai cael treulio'r dyddiau nesaf yn ymarfer ar gyfer y Tödi a mynd i'w ben, yn lle paratoi darlith i'r Scuntrada – Eisteddfod Genedlaethol symudol y Rheto-romanwys – yn Laax a ffilmio rhaglen deledu ar saith canmlwyddiant y Swistir – yn lle'r ddwy fraint fawr hynny hyd yn oed, ebe'r bachgen anniolchgar.

Ni lwyddodd Placi ei hunan i esgyn i gopa uchaf y Tödi ei hunan ond yn 1824, ac yntau'n 72 oed, gyrrodd ddau gydymaith ifanc yn eu blaenau i'w ben – helwyr *chamois* yn naturiol – tra arhosai ef amdanynt, 800 o droedfeddi'n is, ger Porta da Spescha, y bwlch a enwyd er ei anrhydedd. Mae'n addas mai wrth droed y

Tödi y codwyd caban bychan cyntaf Clwb Alpaidd y Swistir, y Grünhornhütte, yn 1863, gyda lle ynddo i ddeg. Sefydlwyd y clwb ar adeg pan oedd pwyslais mawr ar uno cantonau'r Swistir mewn ffederasiwn llai llaes ond mwy cyson ryddfrydol. Fel y fyddin, mae'r clwb yn un o'r cymharol ychydig sefydliadau sy'n rhoi mwy o bwyslais ar y wlad gyfan nag ar y cantonau. Fel arfer, baner y Swistir yn unig a welir yn cyhwfan uwchben ei gabanau. Diddorol – a chalonnog – oedd gweld baner y Grischun yn unig o flaen Camona da Terri, a chofio mai dim ond yn 1803, tan bwysau Napoleon, yr ymunodd cydffederasiwn y Grischun â chydffederasiwn mwy y Swistir, a bod eiddo'r Grischun wedi tarddu o'r cyfarfod hanesyddol hwnnw yn Trun. 'Erstalwm,' ebe cyfreithiwr o'r Engadin Isaf wrthyf unwaith, 'roedd Fenis yn bwysicach inni na Zürich.'

Yr adeg y daeth chwarae ymhlith y creigiau ger llynnoedd bychain a ffrydiau gyntaf oll i'm gwaed, yng nghyffiniau Llanelltud a Llanfachreth ac Islawrdref, byddwn yn sefyll am hydoedd y tu allan i ddrws stafell â phobl ddiarth ynddi, yn rhy swil i'w agor. Rhyw swildod tebyg a'm cadwodd cyhyd yn syllu ar y Tödi, a phyramidiau'r Piz Tgietschen (neu'r Oberalpstock, un arall o esgyniadau cyntaf Placi) a'i griw, yn hytrach na hawlio lle ar un o fatresi hirion y cwt, a wynebu'r haid o gwmpas y drws, a'r rhes a ddynesai ar hyd llwybr cul yn ystlys llethr orllewinol Cwm Sumvitg. Anaml iawn y bûm ar gyfyl yr Alpau ar ddiwedd Gorffennaf neu yn ystod hanner cyntaf Awst. Dyma'r adeg y dylid osgoi'r cytiau prysuraf. Gwir nad yw neb fyth yn cael ei gau allan, ond dyna'r drafferth. Lle i hanner cant sydd ar fatresi caban y Terri ond roedd dwywaith cymaint yno ar nos Sul, 28 Gorffennaf 1991, y rhan fwyaf ohonynt yn ymwelwyr achlysurol, yn hytrach na mynyddwyr o waed. Nid oedd gobaith cael lle yn y stafell fach a neilltuir i aelodau'r Clwb Alpaidd. Nid oedd cyfle i baratoi eich bwyd eich hunan. Nid oedd dewis ar gyfer swper chwaith: lobscows a phasta'r ceidwad i bawb, a champ i chi gael lle wrth y byrddau. Trugarhaodd teulu o'r Eidal wrthyf a gadael imi wasgu rhyngddynt a'u cymdogion. O bryd i'w gilydd, buom yn cynnal rhyw fath o sgwrs wên a dwylo hapus ond roedd gormod o dwrw yn y stafell i fod yn sicr o'r iaith, heb sôn am y geiriau. Es i glwydo cyn y rhan fwyaf, a hynny yn erbyn y wal ym mhen yr uchaf o'r ddau fatras, gan hiraethu am adeg pan oedd gennyf deulu o'm cwmpas ar achlysuron fel hyn. Roedd digon o sbri ar y llawr isaf ond dim siâp ar y canu. Ymhen rhyw awr, daeth criw o ferched ysgol o Rorschach i ben arall y matras: profiad newydd iddynt oedd ymweld â chaban mynydd a buan y'u goddiweddwyd gan y gigls rheini sydd heb ffiniau rhwng Tregaron a Thibet. Ymhen awr a hanner arall roedd fflachlampau'r pererinion olaf wedi eu harwain i'w priod leoedd, y darnau arian olaf wedi disgyn ar lawr o'u pocedi, y sibrwd a'r siffrwd a'r chwilio ofer am drugareddau coll wedi peidio, a'r chwyrnwyr yn dechrau mynd i hwyl. Cwt cymharol isel yw Camona da Terri, mynyddoedd cymharol isel sydd o'i gwmpas. Pe bai'r bobl hyn wedi bod â'u bryd ar un o'r cribau mawr uwchben Zermatt, Grindelwald neu Puntraschina, buasai rhyw barchus ofn wedi eu llonyddu ers meityn. Nid anghofiaf byth ias yr arswyd yn y Rothornhütte, ryw bymtheg mlynedd ar hugain yn ôl, pan godod un o'r tywysyddion ar ei eistedd yn ei gwsg am hanner nos, a sgrechian yn union fel pe bai'n disgyn i waelod y mur mawr didrugaredd a'n hwynebai ni drannoeth.

Passo della Greina (2378m; 7743 tr.)

Yng nghaban y Terri, ychydig iawn a gododd cyn codi cŵn Caer. Serch hynny, gwaith oer oedd aros fy nhro i molchi yn y cafn pren tan y pistyll o flaen y drws. Bachais grystyn a phaned i frecwast, a thamaid ar gyfer fy nghinio, trwy fynd i mewn i'r gegin fach a helpu'r morynion gyda'r golchi llestri am ysbaid. Diau bod fy aelodaeth o'r Clwb Alpaidd, fy mathodyn Veteran, a'm hychydig eiriau o Romaneg yn fy ngosod gyda bonedd yn hytrach na gwreng. Ond roedd nifer go lew wedi cychwyn o'm blaen i lawr oddi ar graig y cwt ac i fyny'r llwybr i'r Greina, llwybr mwy gorllewinol na'r un y cyrhaeddais ar ei hyd, un sy'n croesi bwlch bychan rhwng Muot la Greina a chadwyn Piz Vial. Ar waelod y graig, pasiais gwt pren bychan bach. O'i flaen roedd arwydd yn dwyn y geiriau a ganlyn:

Rettet die Greina vor dem Turistenflut
Ihr müde Götter agrestas
Der Schafwirt

sef o'i gyfieithu, 'Gwaredwch y Greina rhag y llif twristiaid, chwi dduwiau gwledig swrth – Bugail y Defaid.' Wrth imi esgyn y llwybr caregog, dyma'r bugail barfog ei hun yn dod i'r golwg, yn arwain rhes hir o hen ddefaid mawr hyll a barus yr Alpau i gyfarfod yr ymwelwyr siaradus. Cyferchais ef yn Romaneg ond syllodd arnaf yr un mor sarrug. Erbyn imi fynd trwy'r bwlch i olwg Piz Terri, fodd bynnag, a sefyll tan rewlifau crog diferol Piz Vial yn gwylio'r marmotiaid yn mentro yn ôl o'u tyllau, roedd llond caban o bobl a phlant wedi ei wasgaru, a'i lyncu, a'i daro'n fud gan lonyddwch hyglyw'r Greina.

Rhaid dysgu tipyn am hanes y Greina er mwyn gwerthfawrogi cwyn y bugail yn erbyn y *llif* ymwelwyr. Ers y pedwardegau, bu sôn am greu cronfa ddŵr yno at gynhyrchu trydan. Yn 1949, trwy gyfrwng refferendwm, gwrthododd etholwyr y Grischun ganiatâd i ddefnyddio'r Greina ar gyfer cynllun er budd y Ticino, y canton Eidaleg ei haith ar ei ffin de-orllewinol. Erbyn 1958, fodd bynnag, roedd galw cynyddol am drydan yn ninasoedd mawr gogledd y Swistir wedi dwyn pwysau am gynllun arall a fyddai'n fwy ffafriol i'r Grischun ei hun. Yn y Grischun, y gymuned, trwy bleidleisiau ei phobl – nid y canton, heb sôn am y ffederasiwn – yw'r awdurdod dŵr. Yn ystod yr hanner canrif ddiwethaf, llwyddodd sawl cymuned i sicrhau telerau ffafriol dros ben oddi wrth gwmnïau trydan am yr hawl i gronni dŵr a'i ddefnyddio. Er gwaethaf pob agwedd ar gyfartalu adnoddau, mae'n talu ym mhob ffordd i gymunedau mynydd fanteisio ar y cyfle i sicrhau trydan rhad, breindal ar allforio ynni, taliadau trwyddedu ac yn y blaen – gwerth tua 90 miliwn ffranc Swisaidd y flwyddyn i'r Grischun yn 1991, pan oedd y Swistir yn dibynnu ar drydan dŵr am 57 y cant o'i ynni, a 30 y cant o'r ynni yma'n dod o'r canton hwn gyda'i boblogaeth o 160,000. A chymunedau fel y Tujetsch ym mlaen dyffryn Rein Anteriur wedi medru codi ysgolion gwych a gostwng eu trethi yn rhinwedd cynlluniau trydan-dŵr mawr mewn cymoedd anghyfannedd, hawdd deall awydd cymunedau tlodion fel Sumvitg a Vrin i sichrau gwerth dros £1 miliwn yn yr un modd. Yn ôl deddfau'r canton a'r ffederasiwn, mae modd apelio yn erbyn gwrthodiad cymuned i gydweithredu mewn cynllun trydan-dŵr, ond nid oes apêl o fath yn y byd yn erbyn penderfyniad i'w ganiatáu. Er bod cymdeithasau cadwraeth y Swistir yn ystyried bod y Greina yn gwbl unigryw felly, nid oedd diben galw ar y llywodraeth ffederal neu lywodraeth y canton i wahardd y cynllun. Prin yn wir fod ethos gwleidyddol y Swistir yn caniatáu i'r cadwraethwyr mwyaf eithafol geisio amddifadu cymuned fach fynyddig o'r cyfle i elwa ar ei hadnoddau naturiol. Yr unig lwybr anrhydeddus oedd perswadio'r ffederasiwn i ddigolledu'r cymunedau pe baent yn cytuno i roi cadwraeth o flaen elw mawr. I gychwyn, ychydig a allai gymryd syniad fel hyn o ddifrif. A'r farn gyhoeddus yn troi yn erbyn ynni niwcliar, a'r lobi diwydiannol mor gryf, tueddai'r rhan fwyaf o fynyddwyr i gymryd y cyfle olaf i ymweld â'r Greina cyn iddi ddiflannu tan y dŵr. Aethpwyd mor bell â chynnwys y gronfa ar fap yn argraffiad newydd atlas y canton ar gyfer ysgolion. Eto i gyd, ffurfiwyd mudiad lleol i achub y Greina – Salvei La Greina – a chydiodd cân o'r enw 'Il Clom della Greina' – gan ddau gerddor ifanc o'r cylch, Alexi Nay a Marcus Hobi – yn nychymyg y fro. Lledodd y gwrthwynebiad. Ymataliodd y consortiwm trydan. Trwy ddyfal donc, argyhoeddwyd Senedd y Swistir nad ar draul economi cymunedau mynyddig y dylid gwarchod etifeddiaeth genedlaethol. Rhoddwyd un cyfandaliad i'r cymunedau am warchod y Greina a phenderfynwyd cynnwys yr egwyddor ddigynsail hon mewn deddfwriaeth newydd: yr egwyddor na ddylid gwahardd datblygiad er mwyn treftadaeth y Swistir heb iawn i gymuned leol nad yw'n gefnog. Derbyniwyd hyn gan fwyafrif mawr o gantonau a phobl y Swistir mewn refferendwm ym Mai, 1992, er bod y ddeddf ei hun yn dal ar y gweill. Onid oes gwers i'r Gymru wledig yn y fan hyn? Ac onid oes eironi mawr yma hefyd, a rhybudd, o gofio cwyn y bugail: gyda'r pwysau cynyddol ar lwybrau mynydd, efallai mai rhengoedd y cadwraethwyr eu hunain yw'r bygythiad mwyaf, bellach, i sawl llecyn llonydd.

Mae'n debyg fy mod wedi gweld digon o'r Alpau, a digon o gadwyni mynyddoedd eraill ledled daear, i fedru cytuno â chydwybod glir bod y Greina yn unigryw, yn hytrach na bod yn amrywiad ar fath cymharol gyffredin o dirlun. Beth yn union yw ei chyfrinach? Ai'r borfa anarferol eang ac uchel, a'r planhigion? Ni welais gystal blodau crwynllys melyn mawr – *gentiana lutea* neu *punctata* – yn unman arall, mae'n wir, ond i leygwr nid oes yma gyfoeth o emau bach amrywiol o'r math a welais wrth nesáu at y Fanezfurgga o Sertig, ac o gwmpas copa'r Piz Belvair wrth grwydro cyffiniau Chamanna d' Es-cha. Ai amrywiaeth y ddaeareg ynteu? *Rundhockerflur* gneis gwelw'r Gaglianera – y gyrroedd defaid maen llyfn yna sy'n tywallt i lawr o raeadrau rhew Piz Vial i flaen Rein da Sumvitg, hyd at ryw kilometr o'r bwlch; y *Rauhwackezug* dolomît melyn sy'n palmantu'r llwybr at y bwlch ei hun fel petai rhyw dar cyntefig wedi caledu'n rhychau a thyrau bychain tyllog, garw cyn i'r stimrolar gyrraedd; creigiau gwaddodol tywyll y Pizzo Coroi yn ymddangos trwy'r borfa tua'r deau: mae rhai o'r nodweddion hyn yn amlwg i'r lleygwr, ond dim ond arbenigwr allai fynd i hwyl ynghylch yr holl amrywiaeth garegog yn ei fanylder. Digon i mi oedd sylwi fod yr afon sy'n bwyta i mewn i ymyl isel ddeheuol soser y Greina o'r Ticino, Ri di Motterascio, o fewn rhyw 75 metr i fachu blaen Rein da Sumvitg. Y tu yma i'r Brenner, dyma linell rannu fwyaf gogleddol yr Alpau, yma wrth eich traed yn hytrach nag ar ryw grib uchel a wahanodd y dyfroedd fwy neu lai yn derfynol ers oes oesoedd.

Tua saith kilometr yw hyd y Greina ond nid yw fawr rhagor nag un kilometr ar ei thraws. Erbyn imi gyrraedd y groesffordd ar gyfer bwlch isel Crap la Crusch – Carreg y Groes – sy'n arwain i lawr yn rhwydd i'r deau at Alpe di Motterascio a'r caban Clwb Alpaidd o'r un enw, nid oedd enaid byw i'w weld na'i synhwyro. Disylw oedd Motterascio cyn creu cronfa ddŵr ymhell oddi tano: trwy'r Passo della Greina neu Pass Crap yng ngorllewin cul y Greina yr aeth yr hen lwybr drosodd i Val Camadra a Val Blenio, Olivone a Bellinzona a'r Eidal. Y ffordd yma, nid oedd siffrydiad i darfu ar yr olygfa yn ôl ar hyd y waun cyn belled â diamwntau mawr dulas Piz Terri a Piz Canal a'u his-gopaon a'u bylchau: er bod yr haul wedi codi'n uchel, nid oedd angen cysgod ar y waun na gwrid yn yr awyr i danlinellu'r cyfaredd. Fe allech weld porfa uchel unig fel hyn yng nghyffiniau Pumlumon neu'r Migneint; nid yw'r Greina mor annhebyg â hynny i'r ffridd lydan ar lethr ddwyreiniol Cwm Pen Llafar, lle pora'r merlod mynydd a lle clywais lef y cwtiad aur yn ogystal â'r 'ambell fref, a Duw, a swn y dŵr' a glywodd Gwili. Fe allech yn sicr weld mynyddoedd a glasierau mwy trawiadol heb deithio ymhell. Yr hyn sy'n unigryw yw ehangder fel hyn mor uchel i fyny ar asgwrn cefn ysgithrog, eiraog yr Alpau main a'u cymoedd culion, mor bell o bobman i bob cyfeiriad − cyfuniad o noddfa ac o anialdir − cysur y naill a hiraeth y llall − ynghyd â rhyw gyfrinach yn su'r dyfroedd, a sugno'r haul a mudandod y mynyddoedd.

Wrth symud yn nes at y bwlch, ar hyd llwybr llai gwastad na'i olwg, tybiwn y gallwn weld y Rheinwaldhorn neu'r Piz Valragn (3402m) ymhell i'r deau; ai ynteu ar Piz Jut, Pizzo di Cassimoi neu Pizzo Sorda − pob un ohonynt ymhell dros y 3000m − y llathrai'r glasier mawr pellaf? Ar y bwlch ei hun, daeth crib lasierog cadwyn Medel i'r amlwg: triongl perlaidd Cima di Camadra yn syth o'm blaen, a llwch cewri oes oesoedd wedi ei ysgubo i lawr at ei throed, Piz Medel ym mhen draw'r grib tua'r gogledd, Piz Uffiern a Piz Cristallina y tu ôl iddynt yn ôl pob tebyg, ond y rhain i gyd dros y llinell 3000 metr eto. Cyn imi eu hamgyffred yn llwyr, dyma orchudd sydyn o gwmwl ar eu traws:

> The mists boil up around the glaciers; clouds
> Rise curling fast beneath me, white and sulphury,
> Like foam from the roused ocean of deep Hell

Prin y llwyddais i groesi pen y bwlch cyn imi suddo i niwl tew. Hyd hynny, nid oeddwn wedi poeni am funud am rybudd llawlyfr y Clwb Alpaidd am y llwybr hwn: 'Bei Nacht, Nebel und Neuschnee nicht zu empfehlen' − 'Ddim i'w gymeradwyo yn y nos, mewn niwl neu ar eira newydd'. Mewn chwinciad yr oeddwn yn cerdded ar eira eithaf caled, ac yn gorfod gofalu rhag llithro wrth i'r llethr ddyfnhau. Nid eira newydd mohono, ond nid oedd ôl traed i ddangos y ffordd. Rhyw filltir o'm blaen, buaswn yn cyrraedd dibyn creigiog a'r 'in die Felsen eingehauenen Weg der Scaletta, der etwas Vorsicht verlangt' – 'Scaletta, llwybr wedi ei naddu yn y graig, sy'n gofyn peth gofal'. Tueddai cyflwr sadiach yr eira ar y chwith i'm gyrru oddi wrth linell y llwybr ar y map: '*niwl* not on map'. Cymhlethdod ychwanegol oedd bod y map yn dangos pwt arall o lwybr yn gwyro i'r chwith, ychydig cyn cyrraedd y Scaletta, ac yn dod i ben wrth gwt ar fin y dibyn. Gallwn weld rhyw ugain llath o'm blaen y rhan fwyaf o'r amser, fodd bynnag, ac ymhen llai na hanner awr yr oeddwn, ar amrantiad, o dan y niwlen ac yn medru osgoi olion yr eira. Oddi tanaf ar y dde, wele ffrwd gref yn rhuo dros y dibyn – Brenno della Greina, sy'n codi yn y glasierau tua'r gogledd – a dyrnaid o gerddwyr yn gorffwys ar ei glan. Nid oedd y Scaletta ymhell ac ni wn pam yr oedd angen rhybudd amdani: mae angen mwy o ofal ar lwybr Muot la Greina ond nid oes air yn y llawlyfr am natur hwnnw heblaw 'Abstieg zur Terrihütte auf gutem Pfad (markiert)' – 'Disgyniad i Gaban Terri ar lwybr da (wedi ei farcio).'

Llwybr i'w fwynhau yw'r Scaletta mewn gwirionedd, ar fin ceunant dwfn a chyfres o bistylloedd uchel sy'n eich temtio i ymddwyn fel Manfred yn chwilio am ddewines yr Alpau yn yr ewyn, neu o leiaf fel Tchaikovsky yn myfyrio am Manfred yn chwilio amdani – neu yn ymgomio ag ysbryd Astarte – a hynny yn Davos, er bod Byron wedi gosod y gerdd ei hun yng nghyffiniau'r Jungfrau:

> . . . No eyes
> But mine now drink this sight of loveliness;
> I should be sole in this sweet solitude,
> And with the Spirit of the place divide
> The homage of these waters.

Wrth fynd ymlaen o amgylch blaen y cwm, gallwn edrych i lawr holl hyd Val Camadra i'r mynyddoedd y tu draw i Val Blenio, y dyffryn pellach sy'n ymestyn o Olivone i Biasca: yno, mae Val

Blenio yn ymuno â Valle Leventina a'r ffordd fawr dros fwlch St Gotthard. Eisteddais yn ymyl maen dyfod mor fawr â mans bychan: ar y chwith, tua thri chwarter y ffordd i lawr y cwm, y tu yma i Olivone, gwelwn saeth flaenllym ddu finiog o fynydd na allwn gredu na chlywais sôn amdano o'r blaen: Sosto yw ei enw a dim ond 2221 metr yw ei uchder. Nid oedd ben draw ar y grym creadigol a gerfluniodd yr Alpau: dro ar ôl tro, cewch eich syfrdanu o'r newydd gan ffurf rhyw gopa neu fwtres neu binacl, 'all musical in its immensities', heb sôn am gadwyn ar gadwyn bell fel llinellau ECG ar sgrin y gorwel.

Ac eto, ar un ystyr, mae pob cwm mynyddig yr un fath: yr anialwch yn y blaen, y ffridd arw (Pian Geirett yn yr achos yma), y cwm yn culhau cyn agor ar yr alp uchaf – neu fewnol, o gyfieithu'r term Eidaleg – a'i ysguboriau ('Alpe di Camadra di dentro'), y llwybr yn troi'n ffordd drol ac yn troelli pum can troedfedd arall i lawr trwy'r coed at alp is neu allanol ('Alpe di Camadra di fuori'), yna'r ffordd yn cymryd tro i'r dde at waelod alp arall eto sy'n arwain i fyny at gwm crog ('Alpe di Fontana San Martino') – a phwy a ŵyr ba warchodfa greigiog gudd tu cefn iddo, ba ehangder syfrdanol tu blaen, ba grai nodwydd o fwlch i gyrraedd pa baradwys newydd uwchben – oddi tanoch, fodd bynnag, yr afon yn lledu, y caeau'n mynd yn llai rhwng y castanwydd, ambell gwpwl neu deulu yn y gwair, gwres llethol, ffermdai carreg amrwd oeraidd wedi eu toi â llechi trwchus. Heb un brycheuyn i darfu ar swyddog cynllunio na chadwraethwr. Daigra oedd enw'r pentref bychan cyntaf ac oddi yma arweiniai llwybr troed deniadol trwy galon amaethyddol y cwm, tra bod y ffordd yn dilyn troadau'r llethrau. A'r ffordd bellach wedi ei metalu, cedwais iddi, rhag imi golli'm Astarte. Filltir a hanner yn nes ymlaen, daeth ei char i'r golwg ar amser yn ymyl eglwys dŵr nionyn Baselga, 1240 metr uwchlaw'r môr. Cyn cyfansoddi ei agorawd yntau i Manfred, a hefyd ei *Harold en Italie*, yn nhawelwch eglwysi'r Eidal y byddai Berlioz yn darllen Byron. Ond nid oes angen symbyliad bardd na chyfansoddwr ar grwydrwr bylchau symffonig pedwar symudiad yr Alpau: yma mae gwewyr esgor beirdd byd ym mhob golygfa, a cherdded yn ganu. Er gwaethaf pob rhwystr, mae Astarte hithau'n ymgnawdoli ar derfyn y daith. Nodwedd fwyaf meidrol fy Astarte i yw ei hangen cyson am baned. Os oedd yr eglwys ar glo, yr oedd y caffe bychan gyferbyn ar agor. Yn ôl pob rhagolwg, nyni fyddai'r unig bererinion i'w gyrraedd y prynhawn braf hwnnw. Sut yn y byd y mae holl fwytai anghysbell yr Alpau yn talu? Ai rhith yw'r cyfan? Ai parhad fy hen freuddwyd am un o lannau mynyddig Lumnezia?

Cuolm Lucmagn (1917m; 6290 tr.)

Dros Cuolm Lucmagn – Passo Lucomagno ar ei ochr ddeheuol, Lukmanierpass yn Almaeneg – yr oedd ein taith yn ôl i Val Medel a Mustér. Dyma'r bwlch isaf ar draws Alpau'r Swistir, a'r rhwyddaf i'r modurwr: ychydig o'r troelliadau mawr arferol a gewch ar yr ochr ogleddol a dim ond un neu ddau enfawr wrth ddisgyn at 893 metr Olivone yn y Ticino. Oblegid bod y St Gotthard yn anelu'n fwy uniongyrchol at ddinasoedd mawr y Swistir a gorllewin yr Almaen, fodd bynnag, a bod angen teithio i'r dwyrain gydag Afon Rhein am hanner can milltir o Mustér cyn troi i'r gogledd eto – ar hyd ffordd sy'n parhau'n gymharol anodd – mae Bwlch Lucmagn hefyd ymhlith y tawelaf. Er bod pwysigrwydd Abaty Mustér wedi denu ymherodron mawreddog fel Otto a Barbarossa drosto yn yr Oesau Canol, hyd yn oed yr adeg honno yr oedd Pass da Sett – y Septimerpass – rhwng Llyn Como a'r Val Bregaglia, ar y naill law, a Surses (neu Oberhalbstein) a Chur ar y llall, yn cynnig llinell fwy uniongyrchol i gerddwr ac i ful. Bellach, er mawr fudd i'r cerddwr, aeth y bwlch hwnnw i ebargofiant masnachol, ac yn y St Gotthard, yn hytrach na'r Lucmagn, y buddsoddodd y Swistir. Tangnefeddus, hyd yn oed ym mis Gorffennaf, oedd gyrru i fyny trwy ddoldir cymen nid annhebyg i gwrs golff yn ucheldir yr Alban, ond wedi ei fritho'n gyson gan binwydd bychain tywyll, deheuol eu naws; aros wedyn ym mhen y bwlch tan gribau duon Scopi (3168m – un arall o orchestion cynnar Placi) i wylio'r Rheinwaldhorn (yn sicr) yn ei lordio hi dros gadwyn eiraog Adula: i'r enw Almaeneg y rhoddaf y flaenoriaeth gan mai cymdogaeth Walser biau blaen deheuol Afon Rhein. Llwyddodd Placi i'w esgyn mor gynnar â 1789. Dyma un o gopaon amlycaf de-ddwyrain y Swistir: dywedir bod yr olygfa o'i ben yn un o'r rhai ehangaf yn yr Alpau. Roedd tan gwmwl yr unig dro imi sefyll yno. Ar y ffordd i fyny, roeddem wedi mynd trwy dwnnel canllath yn nhafod y glasier lle mae cainc ddeheuol Rhein yn codi, Rein Posteriur, yr Hinterrhein. (Gydag Margaret a'n mab ieuengaf, sefais unwaith ar lan y creiglyn rhewllyd lle tardda'r gainc ogleddol hefyd, Lai da Tuma, un hynod o debyg i Lyn Hywel yn Ardudwy, tan lethrau'r Badus rhwydd (2928m) a esgynnwyd, hwn eto, gan Placi – a'r Tad Fintan Burchler – yn Awst 1785.) Y noson cyn esgyn y Rheinwaldhorn, cefais dipyn o fraw wrth sgwrsio gyda dringwr cytbwys, bodlon yr olwg o Awstria y tu allan i'r Zapporthütte. Wedi trafod y pethau arferol fel rhagolygon y tywydd, cyflwr gwahanol lwybrau'r mynydd a gwychder y machlud, mentrodd fy nghydymaith na allwn byth ddyfalu ei gyfenw. 'Mozart,' meddwn innau, 'Schubert, Schoenberg, Freud . . .' 'Hitler,' meddai yntau â gwên ar ei wyneb, 'ac mi roeddan ni'n perthyn – roedd o'n gefnder i'm tad, er nad oeddan nhw'n gwneud dim efo'i gilydd.' Nid wyf yn siŵr ai cefnder go iawn a olygai, ynteu cyfyrder: yn ôl cofiant Bullock, Schickelgrüber oedd enw gwreiddiol tad Hitler.

Pobl fwyaf cyntefig a phlwyfol y Grischun yw pobl Val Medel yn ôl rhai, 97 y cant ohonynt â'r Romaneg yn famiaith iddynt, pobl y bu'n rhaid iddynt wrth gramponau i dorri gwair eu llethrau mwyaf serth a phellennig, gwair na ellid ei hepgor gan fod y tir gwaelod mor gyfyng a chrintach. Ni allaf farnu ynghylch eu plwyfoldeb, ond gobeithiaf weld llethrau eu cwm uchaf, Val Cristallina, ryw ddydd, a chroesi un o'r tri bwlch yn ei ben: Uffiern, Cristallina neu Casatscha, i gyfeiriad Olivone:

> Il trutng isaus el cuolm, serpegia
> ensi naveu dall'alp e tegia
> tiel pass alpin,
> tras niu
> plattiu
> che tuna fin.

Cheu va la veta bandunada,
zugliada e malacurada . . .

Dwn i ddim i ba fwlch yn union y canodd y bardd ifanc o'r
Surselva, Gian Fontana (1897–1931), ei gân am lwybr uchel yn yr
hydref: 'Yma yr ymadewir â bywyd / ei amdoi a'i alarnadu. . .'
Bellach, daeth blas hydref hwy na hydref tymhorol dros y
ffriddoedd, a bygythiad gaeaf parhaol os na ellir atal y diboblogi:
prin fod fawr o gysur mewn gwanwyn gwneud, chwaith, ar gyfer
pobl ar eu gwyliau fesul pythefnos, neu yrrau enfawr o wartheg
heb enwau, a'u clychau'n galw mor ofer am y bobl ifanc coll.

Yr hyn sy'n amlwg yw bod bywyd hynafiaid pobl Val Medel
yn troi o gwmpas eglwysi a chapeli y bu cryn fuddsoddi yn eu
haddurniadau gothig a baróc, dwsin ohonynt o leiaf, ar gyfer
poblogaeth o ychydig gannoedd. San Ffraid yw nawddsant un o'r
capeli bychain, Sontga Brida: hyhi hefyd biau'r eglwys uchaf ond
un ym mlaen Rein Anteriur, rhwng Rueras a Selva. Wedi'r cwbl,
sant Celtaidd oedd Gallus, sefydlwr abaty St Gallen tua'r flwyddyn
612 ac un o nawddsaint Laax hefyd – ai Cymro yn hytrach na
Gwyddel, pwy a ŵyr? Dyna abaty pwysicaf dwyrain y Swistir: un
o lyfrgelloedd baróc fwyaf ysblennydd y ddaear yw ei ogoniant
bellach – llyfrgell lawn cystal ag eiddo Coleg y Frenhines,
Rhydychen. Ynddi arddangosir y llawysgrifau Celtaidd cynnar o
hyd. I'r abaty a sefydlwyd tua chanrif yn ddiweddarach ym Mustér
y daeth Carlo Borromeo dros y bwlch o Biasca ar droed yn 1581,
ar ôl cyfnewid ffon fugail Archesgob Milan am bastwn pererin. Yr
adeg honno, roedd Gruffudd Robert yn un o'i gyffeswyr personol
yn ogystal â bod yn ganon diwinyddol yn yr eglwys gadeiriol.
Tybed, tybed, a groesodd yntau hefyd y bwlch yr adeg honno? A
beth am Owen Lewis, a ymunodd â theulu Borromeo y flwyddyn
gynt, ac a benodwyd yn *nuncio* i'r Swistir yn ddiweddarach?

Am y Dadeni y meddyliwn ni Gymry wrth ymfalchïo yn
Gruffudd Robert, ond un o gewri'r Gwrthddiwygiad oedd
Borromeo yn bennaf. Fel cynifer o'i gyfoeswyr, bu'n gyfrifol am
erchyllterau. O ran hynny, oni chipiodd Calvin yntau yr
Undodwr Servetus a sicrhau ei losgi wrth y stanc, er na

throseddodd erioed yn erbyn cyfraith Genefa? Onid oedd John Jones, Maesygarnedd, yn un o'r gwŷr a benderfynodd dorri pen Siarl y Cyntaf, nid bod hwnnw'n haeddu unrhyw driniaeth wahanol i'w ddeiliaid? Onid oedd y Grischun yn gyforiog o drais yn enw crefydd, o ddienyddio a chyflafan, yn ystod y Rhyfel Deng Mlynedd ar Hugain? Diau bod arweinwyr milwriaethus y cyfnodau hyn yn ymhyfrydu yng ngeiriau'r Gwynfydau neu'n penlinio o flaen lluniau o'r Forwyn Mair a'i Baban: *Benedictus qui venit in nomine Domini* . . . *Agnus Dei, qui tollis peccata mundi, dona nobis pacem.* Dywedir wrthym am farnu pawb yn ôl ei gyfnod: efallai y bydd ein disgynyddion ninnau'n arswydo ein bod yn bwyta ŵyn. Boed hynny fel y bo, buasai'n rheitiach i Gristnogion – ac i arbenigwyr ar bensaernïaeth eglwysig – gofio'n amlach mor affwysol o greulon y bu'r traddodiad eglwysig canolog hyd yn ddiweddar iawn. Ynteu a wyf fi a'm bath wedi mynd yn rhy ddiniwed i amgyffred y ddynoliaeth ei hun fel y mae fynychaf ar y rhan fwyaf o'r ddaear?

O leiaf gallwn ddiolch bod annibyniaeth wleidyddol ac eciwmeniaeth ysbrydol Pabyddion y Swistir wedi achosi cryn loes i'r Pabau o bryd i'w gilydd: o Luzern y daw Hans Küng, y diwinydd mawr diarddeledig sy'n cythruddo'r cardinaliaid wrth weithio am un ethos bydeang. O ran democratiaeth leol, bu'r cymunedau mynyddig ar flaen y gad dros ddwy ganrif cyn y Diwygiad Protestannaidd ac y mae'r ysbryd hwn mor gryf yn y Surselva ag yn yr Engadin Protestanaidd. Abad Mustér oedd ysgogydd pennaf y Gynghrair Lwyd. Yn ystod y ganrif ddiwethaf, delfrydwyd tyddynwyr y Surselva gan feirdd nid annhebyg i awduron yr Arad Goch a Chwm Pennant ond nid anghofiwyd min gwleidyddol a milwrol traddodiad gwerinol cefn gwlad y Grischun:

Quei ei min grep, quei ei min crap. . .

O libra libra paupradad
Artada da mes vegls.
Defender vi cun tafradad
Sco poppa de mes vegls

(Dacw fy nghreigiau i, dacw fy ngherrig . . . O ryddid y bywyd gwerinol/Etifeddiaeth fy nghyndeidiau/Amddiffynnaf ef yn awchus /fel eilun fy enaid). Geiriau o gerdd adnabyddus iawn, 'Il pur suveran' (Y gwerinwr sofran) gan Gian Antoni Huonder (1824–67), un arall o feirdd y Surselva.

Scuntrada 91

Wrth weld abaty Mustér fel malwen felen gorniog ymhell oddi tanom, penderfynais grybwyll Gruffudd Robert ar ddechrau fy anerchiad i'r Scuntrada yn Laax, i lawr y dyffryn, ymhen ychydig ddyddiau: anerchiad ar safle a rhagolygon yr iaith Gymraeg. Er gwaethaf traddodiad Placi, dim ond dyrnaid o fynachod Mustér sy'n siarad Romaneg bellach – mewnfudwyr yw'r rhan fwyaf, gan gynnwys ambell ddysgwr brwd. Almaeneg hefyd yw prif gyfrwng yr ysgol uwchradd sy'n rhan ohono. Ni ddylid barnu tynged ieithyddol y cylch yng ngoleuni'r abaty, fodd bynnag: fel Coleg Harlech a llawer sefydliad arall yn y Gymru wledig, mae'n rhy fawr i'r gofynion lleol. O blaid yr iaith y mae'r elfen fywiog ym Mhabyddiaeth Surselva: bachgen o'r cyffiniau, ac aelod Sosialaidd Gristnogol o senedd y canton, yw Bernard Cathomas, Ysgrifennydd Lia Rumantscha, corff lled swyddogol a etholir gan y cymdeithasau Romaneg gwirfoddol ar gyfer hybu'r Rhetoromaneg. (Mae Sosialaeth Gristnogol y genhedlaeth iau yn lleddfu peth ar y 'don ddu' – traddodiad Pabyddol un blaid y Surselva, heb orfod ymladd yn agored yn erbyn y CVP, y 'Blaid Werinol Gatholig'.) Offeiriad ordeiniedig o'r cylch yw lladmerydd pwysicaf yr iaith hefyd, Iso Camartin, Athro Rheto-romaneg Prifysgol Zürich ac awdur *Nichts als Wörte*, cyfrol y gellid ei chymharu o ran dylanwad i *The Welsh Extremist* Ned Thomas neu *Comment Peut-On Être Breton?* Morvan Lebesque. Mewn ysgrif yn ei gasgliad Almaeneg diwethaf, *Von Sils-Maria aus betrachetet, Ausblicke vom Dach Europas* (1991), mynn fod cariad tuag at unigolyn neu fro yn arwain, o wirfodd calon, at ddysgu iaith y gwrthrych, nes bod y cymhelliad i hybu ieithoedd lawer – a hefyd amlieithrwydd – o natur hanfodol iach. A'r enghraifft ategol a rydd o lenyddiaeth fyd? Cariad Mortimer tuag at ferch Glyndŵr yn *Henry IV*, Rhan I:

> But I will never be a truant, love,
> Till I have learnt thy language; for thy tongue
> Makes Welsh as sweet as ditties highly penn'd
> Sung by a fair queen in a summer's bow'r
> with ravishing division to her lute

'O Wunder,' ychwanega 'was da ein Engländer zu einer Waliserin sagt.' (Dyna ryfeddod, fod Sais yn dweud hynny wrth Gymraes!) Cyn symud i Zürich, darlithiai Iso yng Ngenefa, lle'r oedd y gorchestol George Steiner yn Athro Llenyddiaeth Gymharol. Yn y Scuntrada, gofynnais iddo ai ef oedd yn gyfrifol am agwedd iach gŵr mor gosmopolitan â Steiner tuag at ieithoedd bychain. Mynnodd fod Steiner wedi bod yn gefnogol i ieithoedd bach erioed ond y mae'n anodd credu nad am y Rheto-romaneg yr oedd yn meddwl wrth sgrifennu cymal olaf y frawddeg, 'I am a passionate admirer of so-called small languages – which are never small – of autonomous cultures – which are never small – of the wondrous fact that, if you go ten miles to another valley, you may be in another world.'

Nid canton teirieithog mo'r Grischun mewn gwirionedd: dysgir a sgrifennir pum math o Reto-romaneg yn y cymoedd rhanedig, gwasgaredig hyn. Dim ond er 1982 y ceisiwyd mabwysiadu un fersiwn synthetig, Rumantsch Grischun, ar gyfer gweinyddiaeth swyddogol, a hynny'n groes i ewyllys llawer. (Dau fersiwn yn unig a ddefnyddir gan lywodraeth y canton ac o safbwynt ymarferol yr oedd angen un ffurf er mwyn sicrhau statws swyddogol ar lefel y Ffederasiwn hefyd.) Ar ben hyn, tafodiaith Almaeneg unigryw a siaredir – ac a sgrifennir weithiau – yn y cymoedd Walser uchel, gwag a feddiannwyd gan fewnfudwyr o Wallis (Valais) yn ystod yr Oesau Canol. Bu Thomas Johnes o'r Hafod yn sôn am ddod â rhai o'r rhain i boblogeiddio ucheldir Ceredigion ond methodd â chael cefnogaeth y Llywodraeth. Yn Eidaleg y bydd pobl y Val Bregaglia – magwrfa'r cerfluniwr mawr

Alberto Giacometti – yn sgrifennu ac yn addoli, ond math o Reto-romaneg yw eu tafodiaith. Ym mhentref bychan Bivio, wrth droed ogleddol Bwlch Jul ym mhen draw Surses, rhennir poblogaeth o ryw ddau gant rhwng dwy dafodiaith Eidalaidd – hyn ar ochr ogleddol yr Alpau – a dau fath o Reto-romaneg, un ohonynt yn unigryw i'r lle, heb sôn am Almaeneg y newyddddyfodiaid diweddaraf, a ddenwyd yno gan ddatblygiad sgïo. Cyhoeddwyd o leiaf ddwy gyfrol yn nhafodiaith wreiddiol Bivio. Yma hefyd mabwysiadwyd Pabyddiaeth a Phrotestaniaeth Eglwys Efengylaidd y Grischun yn swyddogol ar sail gyfartal: fesul cymuned y caiff eglwysi'r Grischun gydnabyddiaeth swyddogol a chyfran o'r trethi.

Ar gyrrau Mustér y bûm yn llunio'r anerchiad ar gyfer y Scuntrada, heb fod ymhell o Gapel Mair, capel baróc adnabyddus Acletta, sy'n ymhyfrydu mewn seintiau coed o waith Johannes Ritz, murluniau bywiog o waith peintiwr gwlad o'r enw J. J. Rieg ac, ar yr allor, ddarlun olew trawiadol o'r Immaculata – Madonna Acletta melfedlas ei chlogyn, pinc a hufen y *putti* o'i hamgylch, rhosynnaidd yr awyr uwch ei phen: gwaith Carlo Francesco Nuovolone o Milan, nid yr unig enghraifft o waith meistri bychain y *quintocento* a'r *seicento* yn noddfeydd uchel yr Alpau. Ymhell uwchben y capel yr oedd fy meddwl yn gweithio ar ei orau, fodd bynnag, ar alpau is-gopaon Piz Tgietschen, neu ar grib Cuolm da Vi, yng ngolwg llethrau llyfn Sedrun, lle dysgodd Margaret a minnau sgïo yn ystod yr oes bell cyn i'r torfeydd gyrraedd: ac yng ngolwg gwynfyd glasierau gogleddol Piz Medel, gan wybod bod gwyryfdod y Greina yn ddiogel yr ochr draw. Gwelodd fy rhieni gryn dipyn o'r byd ond prin y buasent wedi credu y byddai eu mab yn cael cyfle i draethu am Gymru mewn gŵyl Reto-romaneg yn yr Alpau – na bod caneuon un o'u hwyrion i'w clywed ar Radio Grischa yr un pryd, yn ystod rhaglen awr o ganu roc Cymraeg. Daeth eu hwyrion a'u hwyres yn gyfarwydd â'r Swistir ymhell cyn treulio noson yn Lloegr, fodd bynnag: petasai fy mryd ar annerch Merched y Wawr Penrhosgarnedd, buasent wedi mynegi mwy o syndod. Ond roedd yn ddigon i godi eu haeliau hwy bod gŵr cyfrifol –

Grossrat, yn wir, sef aelod o senedd y canton – wedi dod ataf mewn tŷ bwyta yn Trun a hawlio – yn gywir – iddo fy ngweld mewn rhaglen Romaneg ar Gymru ar brif sianel deledu'r Swistir, a mynd ymlaen i holi ynghylch y 'rothaarige Mädchen' a wnaeth y fath argraff arno ar yr un rhaglen – Branwen Niclas, pwy arall? Trun, lle gwelsom ddisgynnydd y sycamorwydden y tyngwyd llw'r Gynghrair Lwyd oddi tani, a ffilmio blwch ffôn gyda'r cyfarwyddiadau a'r llyfr yn hollol amlieithog, a'r Romaneg yn un o'r ieithoedd.

Amdanaf finnau, rhoddodd annerch y Scuntrada fwy o foddhad imi, ar ôl iddo fynd heibio, na bron unrhyw beth y gallaf feddwl amdano – dan do – heblaw bod yn llywydd y dydd yn Eisteddfod Genedlaethol Dyffryn Conwy: yn enwedig cael dweud fod sŵn eu hiaith hwy yn harddach i'm clyw na sŵn yr un iaith arall ar y ddaear heblaw'r Gymraeg, gan ategu hyn trwy ynganu enwau lleoedd blasus fel Caischavedra a Marangun a Grevasalvas, Mulix a S-Chalambert a Piz Plavna Dadaint, a dyfynnu brawddegau o ddwy gerdd – 'Il pur suveran' ar y dechrau ac, ar y diwedd, gerdd fawr Peider Lansel i'r pinwydd cyntefig sy'n dechrau darfod o'r diwedd, y naill ar ôl y llall, 2200 o fetrau uwchlaw'r môr yn God (coed) Tamangur, uwch law S-charl yn yr Engadin Isaf – y goedwig bîn Arolla uchaf yn Ewrop:

Rumantschs dat pro.– Spendrai tras voss'amur
nos linguach da la mort da Tamangur.

(Romanwys, sefwch yn y bwlch.– Achubwch trwy eich cariad
ein hiaith rhag tranc Tamangur)

Ofnaf fod dyfynnu'r geiriau hyn mor ystrydebol â dyfynnu 'Ond mae'r heniaith yn y tir' ynglŷn â'r Gymraeg ond bardd tebycach i T. Gwynn Jones nag i Ceiriog oedd Peider Lansel (1863–1943). Da gennyf adrodd bod amryw byd o goed Tamangur yn ymddangos yn ddigon iach pan ymwelais â hwy yn niwedd y saithdegau. Er gwaethaf yr anawsterau sy'n codi o fod ag o leiaf ddeuddeg gwaith llai o siaradwyr na'r Gymraeg, nid yw hi ar ben ar y Romaneg chwaith. Yn dilyn adroddiad arbennig o gadarn gan gomisiwn ffederal gyda naw aelod o wahanol rannau'r Swistir, bwriedir diwygio'r cyfansoddiad er mwyn cadarnhau safle'r iaith trwy'r wlad, yn hytrach nag yn y Grischun yn unig, lle bu'n iaith swyddogol fwy neu lai ers sefydlu'r canton. Yr oedd Bernard Cathomas ac Iso Camartin yn aelodau o'r Comisiwn a daeth aelod arall – un o'r ddwy ferch ar y Comisiwn, Ursina Fried-Turnes o Zürich – i wrando ar fy anerchiad. Yr hyn oedd yn ei syfrdanu hi oedd y ffaith fod gan y Gymraeg sianel deledu. Dyna hefyd aeth â sylw'r wasg: drannoeth, 'Anufudd-dod Dinesig Dros Sianel Deledu' oedd pennawd bras y *Bündner Zeitung* – *Western Mail* y canton – gyda llun ohonof yn cyfweld Jacques Guidon ar gyfer HTV, arlunydd sy'n argyhoeddedig na all yr iaith gyd-fyw â thwristiaeth ar y raddfa bresennol. (Roeddwn innau'n medru holi yn Gymraeg ac yntau'n ateb yn Romaneg gan fod Georgia Anderegg, ymchwilydd y rhaglen, yn medru'r ddwy.) Mae'n adlewyrchu nerth rhanbarthol gwasg ddyddiol y Swistir mai am sefydlu papur dyddiol Romaneg yr oedd y drafodaeth yn y Grischun hyd hynny, trafodaeth o ddifrif hefyd.

Taro postyn Cymru er mwyn i bared y Swistir glywed roedd y *Bündner Tagblatt* hefyd ynglŷn ag S4C. Bu'n ddigon goleuedig i gynnwys llun o Margaret yn yr adran *Vox Pop*, a geiriau ganddi i'r perwyl ei bod yn mwynhau'r ŵyl i'r eithaf er gwaethaf y rheol Romaneg a'i hanwybodaeth o'r iaith. Tra diddorol hefyd oedd prif bennawd tudalen blaen y *Zeitung*, i'r perwyl fod datblygwr o St Murezzan (St Moritz) i'w erlyn am werthu fflat i Americanwr yn groes i'r ddeddf sy'n gwahardd gwerthu tir i estroniaid heb drwydded arbennig. Prin fod hynny'n mynd i adfer cymeriad ieithyddol gwreiddiol y ganolfan ryngwladol ddrudfawr honno, ond y mae'r egwyddor yn bwysig i wlad y gallai cyfoethogion tramor newid ei chymeriad mor rhwydd. Beth am iaith pentref Laax ei hun, a'r ysgol olau, eang, gyfoes ei golwg? Ers i'r pentref gynyddu o ryw 700 i 1,400 o ran poblogaeth, ac ymgyfoethogi'n ddirfawr trwy arallgyfeirio o amaethyddiaeth i sgïo, mae'r Romanwys bellach yn lleiafrif. Y Romaneg yw unig iaith yr ysgol hyd at ddeg oed, fodd bynnag; yna daw'r Almaeneg i mewn fel pwnc yn unig, hyd at ddeuddeg. Daw'r Ffrangeg i mewn fel pwnc y flwyddyn wedyn, gyda'r Romaneg fel pwnc yn cael ei dysgu ddwywaith neu dair yr wythnos yn unig. Yn ôl Vitus Dermont, prifathro ifanc gwisgi o'r math y buasai Pwyllgor Addysg Gwynedd wrth ei fodd yn ei fachu, prin hanner y plant sydd o gartrefi Romaneg ond mae'r polisi iaith yn llwyddiant ysgubol heblaw yn achos mewnfudwyr i'r dosbarthau uchaf. Yn ddiweddar, tan arweiniad Clarc cadarn y Cyngor, Augustin Killias, ychwanegwyd cymal i gyfansoddiad y Gymuned, yn datgan fod Laax yn perthyn i gynefin y Romaneg a bod angen mwyafrif o ddau allan o dri i newid safle'r iaith yn yr ysgol ac yng ngweithgareddau swyddogol eraill y Gymuned.

Llyn bychan yw canolbwynt pentref Laax. Codwyd pabell fwyd y Scuntrada rhyngddo a'r ysgol, lle'r oedd y darlithiau'n cael eu cynnal. Roedd bwyd ac awyrgylch y babell yn rhagori ar eiddo'r Eisteddfod Genedlaethol, ond ymdebygai llawer o'r cymeriadau wrth y byrddau i frawdoliaeth y Babell Lên a'r Orsedd. Eisteddai Margaret a minnau yno droeon yn lled adnabod T. Llew o Zernez a Dic o Tinizong, Telynores Tavanasa neu Andri o'r Engadin. Gwahoddwyd ni i dderbyniad y gwasanaeth teledu gan Gieri Venzin, cynhyrchydd y rhaglen ar Gymru, yntau'n dal i sôn am hawddgarwch R. S. Thomas a'r olygfa o'i gartref yn Rhiw. Anodd peidio â chymharu yno hefyd: bancwyr siwt a thei yn methu ymlacio mewn na dillad ymollwng na Rumantsch Grischun; pennaeth ysgol sgïo yn anghyffyrddus mewn siwt; grŵpis iaith yn eistedd wrth draed oracl tal; gohebydd lladd defaid yn cynnal ymyl y bar ar ei ben surbwch ei hun; wynebau Botticelli a ffasiynau Milan hunanfeddiannol yn ôl yn eu cynefin – ond pawb ymhen yr awr yn un haid hawddgar unol dros y Pethe. Gwahanol eto oedd parlwr mawr, panelog Tresa Conrad-Maissen mewn tŷ hynafol yn Trun: bu ar flaen y gad ynglŷn â'r Greina a chefais gyfle i ddannod iddi mai uniaith Almaeneg oedd rhybudd y bugail. Yn eironig braidd, mae'n debygol mai bardd Romaneg oedd y bugail, Leo Tuor, a dreuliodd naw haf ar y mynydd cyn mynd yn athro ysgol! Cefnder Tresa yw'r arlunydd adnabyddus, Alois Carigiet, fu'n gyfrifol am furluniau godidog Senedd-dŷ'r canton yn Chur, a hefyd luniau'r cyfres llyfrau plant adnabyddus am Uorsin a Flurina. Flwyddyn neu ddwy ynghynt, roeddem wedi bod ym mharlwr bach awdures y gyfres, Selina Chönz, yn Samedan. Â phentref Guarda y cysylltir hi fel arfer ond symudodd oddi yno wedi colli ei gŵr, pensaer a adferodd hen dai nobl Guarda ac ar yr un pryd a lwyddodd i gadw'r iaith trwy reolaeth gynllunio lem: mae eu mab yn dal yno. Wedi'n gwahodd ni draw am baned yr oedd yr awdures, ar ôl y cwrdd fore Sul, a ninnau'n ddieithriaid. Syfrdanwyd hi pan sylweddolais pwy ydoedd a'i sicrhau bod ei llyfrau wedi cyfareddu ein plant: 'Mae'n amlwg nad Saeson mohonoch,' meddai. 'Does gan y rheini ddim diddordeb yn ein bywyd na'n diwylliant.' Difyr oedd gweld yr hen brintiau o'r Engadin ar y waliau pren pîn, a set cyflawn o Goethe ar y silffoedd gorau. Trysorwn y copi y mynnodd ei roi inni o argraffiad Americanaidd cyntaf y gyfrol am Flurina yn yr heth, a'i henw wedi'i dorri arno. Tŷ Flurina yw enw ei thŷ bychan hi.

'The thirst of their ambition was not mine,' ebe Manfred am ei gymdeithion bydol. Buasai wedi bod yn fwy dirmygus byth o'r pethau y tu hwnt i reswm, a hollol ddibwys, a roddodd y boddhad mwyaf i mi. Pethau fel sgorio cais dros Yr Wyddgrug – o bobman – yn erbyn tîm na chofiaf ddim amdano erbyn hyn ond mai cyngarcharor oedd yr hogyn a'm hwynebai yn y rheng flaen. Nid y cais ei hun oedd mor hynod, wrth gwrs, ond y ffaith fod ceisiau blaenwyr henffasiwn hanner-cloff mor brin. Pethau fel annerch un o ganghennau Beograd o Gynghrair Sosialaidd yr hen Iwgoslafia, yn nyddiau Tito, neu gynnal seminar ar gyfer swyddogion uchaf Neuadd Tref Bulawayo, neu gael tynnu'm llun gyda Selina Chönz ei hun – ac yn awr annerch y Scuntrada a gweld llun fy ngwraig yn y *Bündner Tagblatt*.

Efallai fod gennyf rhywfaint yn gyffredin â Manfred hefyd, neu o leiaf â'r heliwr *chamois* a ddaeth o hyd iddo, o gofio'r geiriau:

My joy was in the Wilderness, to breathe
The difficult air of the iced mountain's top

Ond yn y byd yma eto, nid y gorchestol, na'r cymharol orchestol

i rywun mor drwsgl â minnau, sy'n cynnig y boddhad mwyaf.
Digon fu torri grisiau i fyny crib Monte del Forno yn ieuenctid y
dydd, er mwyn i Margaret sefyll gyda mi yn gytbwys ar ei ben;
neu fugeilio Dafydd ar hyd crib fain, wrychiog Aonach Eagach;
neu ddringo'r Bella Tolla 3025 metr o St Luc gyda'r Gruffudd un
ar ddeg oed, iddo gael gweld holl gewri'r Valais ar orwel cyfagos;
neu dywys Non o ddrws ei thyddyn i ben Carnedd Llywelyn, am
ambell gip ar yr Wyddfa trwy ffenestri sydyn cymylau'r hwyr.
Noddfa yw'r mynyddoedd i ni, nid anialwch. Cofiaf gyrraedd
Tyddyn Whisgin yn ddirybudd ryw fore Sul ar ôl treulio un o'r
naw nos olau ar ben yr Wyddfa, dod i lawr at Gwellyn mewn
glaw mawr gwlyb parhaus, a cherdded ymlaen trwy Waunfawr ar
hyd y lôn. Nid gyda cherydd na syndod y'm cyfarchwyd gan fy
modryb, chwaer fy mam. O glywed mai ar ben y Wyddfa y bûm
– Y Wyddfa, nid Yr Wyddfa oedd ar lafar yno – syllai arnaf fel
petai rhyw fendith ar fy mhen. Dyna oedd adwaith fy mam hithau
bob tro y dychwelwn o ben mynydd fel Cadair Idris neu'r
Wyddfa, yn enwedig yr Wyddfa, y magwyd hi tan ei dylanwad,
yn ferch i genedlaethau o bobl ffarm. Dyna sut y buasai wedi'm
croesawu yn ôl o'r Greina, ar ôl croesi'r Alpau ar droed – ac o
Laax, ar ôl cyfarch pobl y Grischun dros bobl Cymru, yn y
Scuntrada.

Ym mynwent Caeathro y gorwedd Anti Edith, Macpelah'r
cylch yn ôl Hobley, hanesydd Methodistiaeth Arfon. Mynwent
teulu Abraham yn ymyl Hebron oedd Macpelah. Dim ond
dyrnaid o gewri Caeathro a ddaeth yn adnabyddus y tu draw i'w
cymdogaeth. Un o'r rheini yw William Owen, Prysgol,
cyfansoddwr Bryn Calfaria, y dôn y clywodd fy nhad ei tharo
amlaf yn ffosydd y Somme cyn ei glwyfo:

> Gwaed dy groes sy'n codi i fyny
> 'R eiddil yn goncwerwr mawr;
> Gwaed dy groes sydd yn darostwng
> Cewri cedyrn fyrdd i lawr:
> Gad im deimlo
> Awel o Galfaria fryn.

Ni flinai Mam atgoffa pawb ei bod wedi ei magu yn y ffarm agosaf i Brysgol, ond ym mynwent Annibynwyr y Brithdir y dewisodd hi a'm tad gael eu claddu, ym mro Ieuan Gwynedd a Chrynwyr y goleuni mewnol, ac yng nghanol metaffiseg cylch o fynyddoedd mor ddihafal â Chadair Idris, Aran Fawddwy, Rhobell Fawr a Moel Offrwm, mynyddoedd llawer uwch na'r un ffarm, capel na chwarel. Ymhlith mynyddoedd mor arallfydol, onid oedd angen capeli moel, cerrig beddau a chartrefi hirion llwyd i dystio nad breuddwyd mo'r cyfan?

Hydref ym Mayrhofen

Mae yna duedd ymhlith dringwyr Lloegr i fychanu Alpau Awstria. Roedd Julius Kugy ei hun yn cydnabod nad oedd yr un mynydd tua'r dwyrain i'w gymharu â mynyddoedd eira aruthrol Alpau'r Gorllewin: mae dros dair mil o droedfeddi o wahaniaeth rhwng y Gross-glockner, copa uchaf Awstria, a'r Mont Blanc. Awstriad o Driest, a'i wreiddiau ar derfyn Carinthia, oedd Kugy ar un ystyr, Slofeniad dislofeneg o ran sentiment, pe bai cyfandir Ewrop yn medru amgyffred y fath ddosbarthiad, ac yn Almaeneg y sgrifennai ei gyfrolau praff ar fynydda. Er i minnau fwrw hynny o brentisiaeth Alpaidd ag a gefais ymhlith copaon y Silvretta a'r Ötztal, a hynny pan oedd y bunt yn gryf a thwristiaid yn brin, pwy a allai fy meio am ymweld â Safwy a'r Swistir o hynny ymlaen? Dim ond yn 1976 y dychwelais i Awstria am y tro cyntaf er 1954. Cyfres o ddamweiniau yn unig a'm gyrrodd am ychydig ddyddiau o hydref i Mayrhofen yn Nyffryn Ziller.

Rhyw ugain milltir yw hyd y Zillertal, sy'n cyfarfod dyffryn mawr Afon Inn tuag ugain milltir i'r de i Innsbruck. Dyffryn llydan, heulog yw yn ei ran isaf gyda thŵr eglwys yn amlwg bob rhyw ddwy neu dair milltir, coch ar y naill lan i'r afon a gwyrdd ar y llall, er mwyn y meddwyn, meddan nhw! Er bod y llethrau o boptu mor faith, nid ydynt yn rhy serth i'w ffarmio. Mae amryw o drefi bach a phentrefi ar lawr y dyffryn a digon o fynd a dod i gadw lein fach yn brysur: unwaith bob dydd tynnir y trên gan injian stêm. Safle tebyg i Fetws-y-coed yn Nyffryn Conwy sydd i Mayrhofen, gyda Zell am Ziller yn lle Llanrwst. Ond y mae mabolgampau'r gaeaf wedi chwyddo poblogaeth a choffrau a chyfleusterau Mayrhofen a'i droi yn dipyn mwy o le na'r Betws. Nid yw'n uchel felly yn nhermau'r Alpau – 630 metr, prin ddwy fil o droedfeddi, uwchlaw lefel y môr – ond y mae'n ganolfan odidog ar gyfer y pum cwm cul sy'n treiddio i galon Alpau Ziller. Dyma fynyddoedd glasierog anhawsaf Awstria, er nad oes yr un copa yn eu plith mor uchel â'r Grossglockner i'r dwyrain na'r Wildspitze i'r gorllewin. I mi, mae'r gwahaniaeth rhwng rhan isaf y dyffryn a chymoedd cul y rhan uchaf fel y gwahaniaeth rhwng Bruckner a Mahler: mae gwaith y ddau gyfansoddwr hyn a'i lond o olygfeydd Awstria ac o natur ac o'r tymhorau, ond y mae i Mahler ryw gyfaredd a chynnwrf ac ing na cheir hyd iddo ar y llethrau isaf.

Nid oedd y Tirol wedi newid cymaint ag yr oeddwn wedi ofni. O ran gwasanaeth, chwaeth a bwyd, roedd ein gwesty un seren yn fwy urddasol na'r rhan fwyaf o westai tair seren Lloegr ac eto roedd yn fwy cyfeillgar. Cwmni o'r cylch oedd yn ei redeg. Merched o'r cylch oedd y morynion. Pobl ifanc o'r cylch oedd yn cynnal y noson lawen draddodiadol bob nos Iau, noson heb ddim byd mwy ffug yn ei chylch na noson gan Hogia Llandegai. Hwy hefyd oedd yn gyrru'r gwartheg i lawr yn seremonïol o'r hafodydd am y gaeaf, a buwch flaen pob gyrr wedi ei haddurno â blodau a rhubanau. Nid bod dim byd hen-ffasiwn ynghylch hogiau'r Tirol. Pennaeth ysgol ddringo Mayrhofen yw Peter Habeler, cydymaith Reinhold Messner, dringwr gorau'r byd. Pan oedd cyfryngau Prydain yn mynd i ecstasi ynghylch dringo wyneb gogleddol Everest yn 1976 gan dîm mawr a oedd wedi bod wrthi am wythnosau, roedd y ddau yma ar eu pennau eu hunain ar Gasherbrum I (26,470 tr.) heb sherpa a heb offer trwm o fath yn y byd. Llwyddasant i ddringo ei wyneb gogledd-orllewinol mewn tri diwrnod yn unig, gan agor pennod newydd syfrdanol yn hanes dringo. Nid oedd Habeler erioed wedi bod yn yr Himalaya o'r blaen. Erbyn hyn, bu'r ddau ar ben Chomolungma (Everest) heb ocsigen, gydag Eric Jones yn cludo nwyddau ar eu cyfer i'r Bwlch Deheuol, yntau hefyd heb ocsigen. 'He's the toughest climber I know', ebe Reinhold am Eric wrth ohebydd *The Times*.

Ond nid oes angen bod yn ddringwr, gorchestol na chymedrol, i gael blas ar grwydro o gwmpas Mayrhofen. Mae holl gyffiniau di-garafán y pentref yn llawn swyn a diddordeb a dau *Seilbahn* neu reilffordd raff i'ch cludo i fyny gannoedd o fetrau i'r ffriddoedd y tu uchaf i'r pinwydd. Am a wn i nad yw'r rhes ar res o fynyddoedd miniog a welwch o'r Penkenhorn, tro hanner awr o orsaf uchaf y naill *Seilbahn*, yn tanio mwy ar y dychymyg na llawer golygfa enwocach. Yno, nid yw siâp yr un copa yn orgyfarwydd fel siâp y Matterhorn. Ni chafodd yr un o'r cribau ei gysylltu â hysbyseb fel y Crast Alva druan ar y Bernina, a lysenwyd yn Grib Ovomaltine. Nid yw'r Penkenhorn ei hun fawr o gopa. Os oes arnoch awydd tro hir, rhaid anelu i gyfeiriad y Wanglspitze (2411m) a'r Rastkogel (2760m), mynydd rhwydd ddigon ond braidd yn bellennig. Ar draws y dyffryn mae'r *Seilbahn* arall yn eich codi hanner ffordd i fyny mynydd gwirioneddol drawiadol a difrifol, yr Ahornspitze (2976m). Mae llethrau terfynol yr Ahornspitze yn arw iawn ond, wedi i'r rhan fwyaf o'r eira glirio, gallasai gŵr sy'n gwbl gartrefol ar Tryfan roi cynnig arnynt heb ymraffu.

O gopa'r Ahornspitze, fe welir mai blaenau'r cymoedd tua'r deau, y cadwyni danheddog rhyngddynt, a'r cewri gwynion glasierog ar ffin yr Eidal, yw gogoniant y fro hon. Blaen Cwm Stillupp yw'r llecyn harddaf ohonynt i gyd, efallai, a'r mwyaf hanfodol Alpaidd: porfeydd melfedaidd rhwng dwy lethr serth, y naill o bin a'r llall o graig; uwchben y rheini, tyrau eira a phinaclau duon a bylchau lluniaidd i ben draw pob breuddwyd yn codi o'r glasierau, ac yn cyfarfod yn hanner cylch ym mlaen y cwm; ac ymhobman, rhaeadrau a ffrydiau lu, gydag ambell bistyll main, hir, arwrol, yn golchi pob sŵn aflan o'ch pen. Nid anghofiaf haul yr hydref yn cynnau dail y coed masarn a'r llarwydd sy'n troelli i fyny gyda'r llwybr at Gaban Kassel, y

Kasselerhütte; a cheisio datrys y llwybr cywrain trwy'r gwylltineb o rew a charreg rhwng y cwt hwnnw a'r Greizerhütte, yr ochr draw i ddrws cul y Lapenscharte. A oes angen atgoffa'r darllenydd mai gwestai bychain, syml, glân yw cabanau Clwb Alpaidd Awstria mewn gwirionedd, llawer ohonynt yn cynnig gwelyau go iawn gyda chynfasau yn ogystal â'r matresi cyffredin arferol? Ni flinaf fyth ar eu hamrywiaeth o gawl, eu crempog gyda llus y mynydd na'u gwin melys mwscatelaidd cyn noswylio.

Dywedant fod y Zillergrund hir bron cyn hardded â'r Stillupptal ac yn fwy rhydd o ymwelwyr. (*Grund* yw'r gair lleol am gwm a *Kees*, nid *Gletscher*, yw glasier.) Ond roedd y Plauenerhütte ym mhen draw'r cwm hwnnw eisoes wedi cau am y gaeaf. Ym mhen draw'r Zemmgrund, ar y llaw arall, roedd y cynllun trydan-dŵr enfawr yn dal i ddenu tyrfa fawr bob dydd. Cofiaf am Gapel Celyn ar lan pob cronfa fawr o ddŵr ond, a bod yn deg, mae holl ffyrdd toll a thwnelau ac argaeau cwmni trydan Tauernkraftwerke o Salzburg yn chwaethus dros ben: felly hefyd Dominikushütte newydd ar lan y brif gronfa, Llyn Schlegeis. Wrth imi gerdded min y llyn ar y ffordd i'r Furtschaglhaus, daeth colofnau hir o blant ysgol i'm cyfarfod fel petaswn yn Eryri ond bod golwg mwy llewyrchus arnynt nag ar blant Lloegr, fel sydd ar bawb ar y Cyfandir y dyddiau hyn. Mae'r Furtschaglhaus o fewn dwyawr a hanner o gerdded i ben draw taith y bws mini o Mayrhofen, ond saif yng nghanol mynyddoedd uchaf a mwyaf ysgithrog y cylch, gan gynnwys y Grosser Möseler a'r Hochferner glasierog a'r Grosser Greiner creigiog, anodd. Mae un mynydd, y Schönbichlerhorn, ymhlith y copaon deg mil troedfedd rhwyddaf yn yr Alpau. Gellwch ei ddringo ar eich ffordd dros y grib i'r Berlinerhütte ym mlaen y cwm nesaf a mynd yn eich blaen eto, y naill ddiwrnod ar ôl y llall, i'r Greizerhütte a'r Kasselerhütte. Dyna a wnawn i pe deuwn i'r cylch yma eto, gan gychwyn y daith o gwt i gwt yn y Tuxertal neu, ymhellach fyth i'r gorllewin, ar y ffordd o Innsbruck i Fwlch Brenner.

Cwm Tux yw'r lleiaf main a'r mwyaf gwâr o flaenau'r Zillertal. Ar yr ochr orllewinol, mae'r llethrau isaf yn frith o hen dyddynnod coed ac o ysguboriau nobl gyda bargodion llydain a thoeau o lechi tewion amrwd o bob siâp. Ac mae tai newyddion y pentrefi wedi cadw'r hen arddull i'r dim ond bod gerddi o'u cwmpas yn ogystal â'u bocsys ffenestr yn llawn coch, melyn a gwyn. Yn ôl pob golwg, cedwir yr hen draddodiadau yma. Ar fore Sul, roedd y bws post yn llawn plant yn mynd adref o gymanfa yn eglwys fwya'r cwm a bandiau pres yn ymgasglu yn un o'r pentrefi eraill, gyda'r bandwyr â'u hetiau caled duon, cotiau glas neu goch, clos pen-glin a hosanau gwynion amdanynt. Ond nid arbedwyd blaen y cwm rhag twristiaeth. Yno, yn Hintertux, mae cyfres o reilffyrdd rhaff yn codi i ganol y glasierau. Ar gyfer sgïwyr haf y darparwyd y rhain yn bennaf, ac ni fedrant amharu llawer ar fawredd mynyddoedd mor gwbl unbenaethol oer â'r Olperer a'i gymheiriaid. Yr hyn sydd yn bygwth peth ar harddwch y fro yw'r holl lyfnu ac aredig a welir ar y ffriddoedd i'w paratoi ar gyfer sgïwyr gaeaf cyn i'r eira ddod. Ond a oes gan estron hawl i feirniadu? Hanner canrif yn ôl, roedd y Tirol yn dioddef y dirwasgiad enbyd a borthodd Hitler a'r Natsïaid. Heddiw, prin ei fod fymryn llai llewyrchus a chwaethus yr olwg na'r Swistir ei hun.

Mae'r bwlch ym mlaen Cwm Tux yn mynd â cherddwr draw i gyfeiriad y drafford a'r rheilffordd sy'n arwain at y bwlch adnabyddus hwnnw, Bwlch Brenner. Braf meddwl fod cerdded o Hintertux i Sankt Jodok yn dal yn gynt na mynd i lawr y dyffryn a thrwy Innsbruck yn eich car. Ar un adeg roedd y cymoedd o boptu'r Tuxerjoch yn perthyn i'r un gymuned. Bellach dim ond clwb ffermwyr ifanc sydd ganddynt ar y cyd. Yn 1960, cododd aelodau'r clwb groes enfawr yn y bwlch i goffáu'r gwahanu a ddigwyddodd yn 1925. Rwy'n hoffi athroniaeth brawddeg olaf arysgrif y groes: 'Es ist das Symbol der Grenzen und des Verbundenheit der Herzen' (Symbol ydyw o'r ffin a pherthynas y galon). Onid oes amser i fod ar wahân, ac amser i gyd-uno ym mywyd pob dyn, pob cymdogaeth a phob cenedl?

Er gwaethaf holl ogoniant cyffiniau Mayrhofen, un o hoff bleserau ei ymwelwyr yw teithio ar fws neu drên i ddyffrynnoedd eraill y Tirol, i Salzburg neu i ambell gwr o'r Swistir ac o'r Eidal. Yn sicr gellir cyfiawnhau taith i Innsbruck, prifddinas y Tirol –

gorau oll os teithiwch yno ar y trên bach cyn belled â Jenbach ac yna ar y trên buan. Nid dyma'r lle i draethu ar gymeriad Innsbruck gyda'i phlastai rococo, a'i waliau mynydd syfrdanol fel Dolgellau. Ond y mae un pererindod hanfodol i Gymro, sef ymweld â'r cerflun llawn maint a hanner o Arthur yn yr Hofkirche, yr eglwys Ffransiscaidd. Yno mae beddrod enfawr Gothig yr Ymherawdr Maximilian y Cyntaf gyda'i osgordd bres o wyth ar hugain o frenhinoedd a phendefigion. Roedd y Macsen hwn wedi ffoli ar sifalri ac yn mynnu ei fod yn un o ddisgynyddion Arthur. Rhaid oedd rhestru Arthur yn yr osgordd ac er mai Peter Vischer o Nuremberg a wnaeth y cerflun, dywedir mai neb llai nag Albrecht Dürer a'i cynlluniodd. 'Arthur Brenin y Saeson' sydd ar blac wrth droed y cerflun. Da gennyf adrodd fod y llawlyfr yn cydnabod mai 'ychwanegiad diweddar' ydyw. Yn 1513 y castiwyd y cerflun ac onid oedd Harri Tudur wedi darbwyllo pawb erbyn hynny mai Cymro, neu o leiaf Brydeiniwr, oedd Arthur? Bu farw Macsen cyn dod â'i gynllun drudfawr i ben ac nid yn yr Hofkirche y'i claddwyd wedi'r cyfan. Bron na ddywedwn fod awyrgylch yr Hofkirche, gyda'r wyth ar hugain o farchogion arfog yn aros yn ddwy res yn y gangell, yn gweddu'n well i Ogof Arthur nag i'r Ymerodraeth Rufeinig Sanctaidd. Tybed ai Ogof Arthur oedd gwreiddyn yr holl syniad?

Wrth ffarwelio ag Arthur, sylwais ar dorchau o flodau wrth droed cerflun arall yng nghhornel yr eglwys, cofeb Andreas Hofer, arwr cenedlaethol y Tirol: nid yw'r cerflun hwn yn deilwng o'r cwmni dethol cyfagos, ond y mae yna Hofer arall noblach mewn parc yn y ddinas. Tafarnwr barfddu a arweiniodd y werin mewn gwrthryfel yn erbyn Napoleon a'i weision bach o Bafaria oedd Hofer. Cafodd lwyddiant ysgubol i gychwyn ac am ddeufis yn 1809 ei lywodraeth ef a reolai'r Tirol. Ymhen y flwyddyn, gorchfygwyd y fyddin werinol gan hufen byddin Ffrainc, bradychwyd Hofer gan un o'i gydwladwyr, dygwyd ef i'r Eidal a'i saethu. Bellach cafodd y Tirol ei Senedd ei hun y tu mewn i'r Awstria newydd, ffederal, ond y mae ysbryd Hofer yn dal i gynhyrfu'r dyfroedd. Gŵr o Dde'r Tirol ydoedd (fel Reinhold Messner) ac ar ôl y Rhyfel Byd Cyntaf trosglwyddwyd y rhanbarth Ellmyneg hwn yn gwbl ddi-egwyddor i'r Eidal. Yna unodd Hitler a Mussolini i fradychu'r Tirol eilwaith, gan drosglwyddo miloedd o'r trigolion gwreiddiol i'r Almaen i wneud lle i Eidalwyr. Ni chafodd y Tirol chwarae teg gan fuddugwyr yr Ail Ryfel Byd chwaith. Gwir fod yr Eidaleiddio bwriadol wedi dod i ben a bod addysg trwy gyfrwng yr Almaeneg ar gael yn gyffredinol yn awr; ond erbyn hyn prin y mae gobaith ail-Almaeneiddio'r trefi mwyaf. Hyd heddiw mae amodau cyfansoddiadol y Tirolwyr a'u hiaith yn destun llosg rhwng Awstria a'r Eidal,`a charfan o Dirolwyr yn credu, ysywaeth, mai trwy drais yn unig y gellir sicrhau cyfiawnder. Darllenwch y bennod amdanynt yng ngorchestwaith Meic Stephens ar leiafrifoedd Ewrop.

Y drws nesaf i'r Hofkirche, mae Amgueddfa Werin y Tirol, un gonfensiynol, nid Sain Ffagan. Yno y daeth yn amlwg imi mai'r Tirol hanesyddol, gyfan yw'r uned y mae Innsbruck yn ei harddel o hyd. Cenedl fach yn hytrach na thalaith yw'r Tirol mewn gwirionedd, cenedl fach geidwadol, Babyddol a oedd yn fodlon ar ei lle yn Ymerodraeth yr Habsburgiaid gynt, ond cenedl y gofynnodd ei Chynulliadau am annibyniaeth lwyr yn union wedi'r Rhyfel Byd Cyntaf. Nid colli rhyw ranbarth ymylol oedd colli'r deau: colli'r galon ydoedd ar lawer cyfrif. Gan fod y ffyrdd o Innsbruck i'r rhanbarth dwyreiniol yn mynd trwy'r deau, bu'n rhaid creu talaith ar wahân o'r dwyrain hefyd. Ond, yn yr amgueddfa, mae'r Tirol yn dal yn un, a rhyfeddais at gyfoeth materol gwerin pob congl ohoni yn y dyddiau a fu, yn anheddau, yn barlyrau panelog clyd, yn ddodrefn, yn dillad, yn offer fferm a chegin, yn arlunwaith ac yn gerfiadau cain. Roedd ganddynt bopeth, a'r popeth hwnnw yn parhau ac yn hardd – hyd yn oed yn yr ail ganrif ar bymtheg, roedd ganddynt gramponau i groesi'r glasierau! Un o uchafbwyntiau'r amgueddfa yw'r casgliad o fodelau o enedigaeth Crist o blwyfi gwledig – traddodiad sy'n parhau hyd heddiw ac yn sail i lawer o'r trugareddau coed a werthir i ymwelwyr. Er gwaethaf y peintiadau pwysig a diddorol yn amgueddfa fawr arall Innsbruck, y Fernandineum, sy'n cynnwys un o ddarluniau Rembrandt o'i dad, yr amgueddfa werin yw coron Innsbruck i mi. Gofidiwn nad ar ddechrau'r gwyliau yr euthum yno; gwnâi bopeth a welswn yn y Zillertal gymaint yn fwy diddorol. Mae enw da cyffredinol i'r gwladwr o Dirolwr, ei sirioldeb, ei letygarwch, ei ddawn fel crefftwr, ei ffordd o fyw o gwmpas hendre a hafod a llan. Ond nid oeddwn wedi sylweddoli mor eang ac amrywiol a gwâr ydoedd diwylliant materol y Tirol wedi'r Oesau Canol. Diau fod tlodi mawr yn y Tirol fel ymhobman arall yn y canrifoedd a fu, ac anoddefgarwch a thuedd i'r trechaf dreisio. Ond gorchest oedd cael graen o gwbl ar fywyd mewn gwlad nad yw mwy na 6 y cant o'i thir yn dir âr, lle mae gorchudd o eira dros y cyfan am bedwar neu bum mis o'r flwyddyn a lle mae afalans a llif yn gallu dinistrio gwaith blynyddoedd ar amrantiad, gwlad â mwy o uchder nag o led iddi drwyddi draw.

Os oes rhaid mynd y tu allan i Gymru am batrymau, peidiwn â chwilio amdanynt ym Mharis neu Rufain neu Amsterdam. Hyd yn oed ym myd y bwrdais, y dywedir ein bod ni yng Nghymru mor ddiffygiol ynddo, rwy'n dod i gredu fwyfwy mai yn yr Alpau ac o boptu iddynt y mae gwareiddiad ar ei orau. O Grenoble yn y gorllewin i Ljubljana yn y dwyrain, mae yna res o ddinasoedd nad aethant eto yn rhy fawr nac yn rhy bell o'r wlad, dinasoedd fel Lausanne, Bern, Konstanz, Sankt Gallen, Chur, Trento a Salzburg; un o'r rhain yw Innsbruck, prifddinas y Tirol.

Disappointment Peak
Siom ar yr ochr orau

Neb llai nag Eric Jones a'm rhybuddiodd nad oedd y Mynyddoedd Creigiog, 'Rocky Mountains' America, yn yr un cae â'r Alpau. Fel 'Montagne de Roche' yr ymddangosant gyntaf ar fap proffesiynol, map John Evans (Siôn Ifan), Waunfawr, o Afon Missouri (1796). Roedd map John Evans, ail fab chwaer hynaf fy hen, hen daid, yn drech na rhybudd Eric. O fynd i America o gwbl, mynnwn weld y Gorllewin Gwyllt a hefyd y Parc Cenedlaethol cyntaf ar y Ddaear, Parc y Garreg Felen, Yellowstone, a ddynodwyd mor gynnar â Mawrth y cyntaf, 1872. Ni ddaeth John Evans mor bell â hyn ond clywodd sôn ymhlith yr Indiaid am afon felen ei glannau yn rhedeg i mewn i'r Missouri a dyna'r 'River yellow rock' ar gyrrau anfesuredig, anfesuradwy, dalen olaf ei fap. Ond mewn Parc Cenedlaethol arall ar derfyn deheuol Yellowstone y mae mynyddoedd mwyaf ysgithrog yr Unol Daleithiau, mynyddoedd Teewinot i'r Indiaid neu'r Trois Tetons, sef y Tair Teth, i'r helwyr crwyn hanner Ffrengig, hanner Indiaidd a ddaeth draw yn ugeiniau'r bedwaredd ganrif ar bymtheg, neu'r Pilot Knobs i'r Americanwyr gwyn: erbyn hyn *the Grand Tetons* (wedi ei ynganu fel Saesneg, ond megis gydag *e* ddwbl) yw'r enw swyddogol.

73

Os oedd yr ychydig a welais o fynyddoedd eraill Wyoming ac ymylon Colorado a Montana yn nodweddiadol, mae Eric Jones yn iawn am y Mynyddoedd Creigiog at ei gilydd. Yn un peth, mae'r raddfa lorweddol mor fawr, y gorwelion mor bell, y gwastadeddau mor anial, nes amharu ar y raddfa fertigol. Yn union fel y mae culni cymoedd yr Alpau yn eu dyfnhau, mae lled y paith yn gwastatáu Long's Peak a'r Sierra Madre a chadwyn y Wind River a mynyddoedd Absaroka a Bear Tooth, onid ewch ymhell bell trwy'r anialwch i'w canol: a dyna wir hudoliaeth mynyddoedd America, debygwn i, bod angen taith diwrnod neu ddau ar gefn ceffyl trwy'r unigrwydd gwyllt, a sefydlu gwersyll, cyn cychwyn ar y dringo. Ond roedd mwy o swyn yn yr enwau a'r hanes nag yn y wlad wrth inni yrru am oriau ar draws y paith llwyd i gyfeiriad y Tetoniaid, yn gyntaf tua'r gorllewin, trwy Cheyenne a Laramie, mewn bws Greyhound ar linell yr Overland Trail a'r Union Pacific, ac yna tua'r gogledd mewn bws mini o Rock Springs, gan groesi'r Oregon Trail a llwybr y Pony Express dros y South Pass, a chymaint o antelopiaid ag o ddefaid i'w gweld yn pori ac yn rhedeg yn y saets. Erbyn inni gyrraedd pinwydd a rhaeadrau Hoback Canyon, roedd hi'n bwrw eira o ddifrif ac roedd mynyddoedd mawr i'w synhwyro ar y gwynt. Wedi cyrraedd tref Jackson, fodd bynnag, roedd angen ymaddasu eto i fyd Buffalo Bill a'r Sundance Kid. 'The nearest approach to a North American Chamonix,' ebe John Cleare am Jackson, ac mae'n wir mai dim ond un gefnen hir a deng milltir o ddyffryn sy'n ei wahanu oddi wrth y Grand Teton, fod iddo gwmni o dywysyddion mynydd proffesiynol, a bod ynddo siopau llyfrau chwaethus a bwytai uchel-ael yn ogystal â siopau dringo a sgïo. Eto i gyd, yn y bôn, tref cowbois yw hi, yn balmentydd pren a drysau dwbl a dillad lledr i gyd. Yn Jackson Hole − dyffryn Jackson − yr oedd Shane ei hun yn ransio ac yma y daeth Alan Ladd i ffilmio'r llyfr, heb feddwl am funud y buasai, ryw ddydd, yn llefaru Cymraeg ar HTV.

Drannoeth, doedd dim angen gyrru mwy na milltir neu ddwy allan o'r dref cyn i'r Tetoniaid ddangos ag un ergyd mai hwythau yw'r eithriad mawr ymhlith mynyddoedd Wyoming. Roedd pennau'r mynyddoedd hyn rhwng chwech a saith mil o droedfeddi serth uwchben y dyffryn. Ac er bod y dyffryn yn ddigon llydan i wthio cadwyn gyferbyniol y Gros Ventre draw i ddinodedd, roedd tyrau a nodwyddau a bylchau'r Teewinot, a'r cymhlethdod o gymoedd croes a chrog oddi tanynt, yn llawn o'r un math o hud â'r mynyddoedd mwyaf trawiadol a welais erioed – cyrn mawr Grindelwald, dyweder, neu Dorje Lhakpa, neu Sgurr nan Gillean yn Skye. Nid yr un fath o hud yn union, chwaith: fel pob casgliad mawr o fynyddoedd, mae mynyddoedd Teewinot yn unigryw. Er na fu Indiaid Cochion yn byw'n sefydlog yn y cyffiniau hyn erioed, cododd rhywun gorlan ar ysgwydd uchaf y Grand Teton ei hun ganrifoedd cyn dyfodiad y dyn gwyn; a wal arall ar ben 12,804 troedfedd y Middle Teton. Ond yr anifeiliaid biau'r cymoedd: eirth, elcod, mŵs, ceirw, efainc ac ambell lew mynydd ac, i gyfeiriad y Yellowstone, byffalo hefyd. Nid i chwedlau Canolbarth Ewrop yr aeth y coedwigoedd bytholwyrdd, anarchaidd hyn, eu rhaeadrau a'u llynnoedd, ond i'r chwedlau llai amwys hynny y daethom ni blant y tridegau i'w hadnabod mor dda ar ffilm.

Mis Hydref yw'r adeg orau i gerdded min llynnoedd mawr y dyffryn a llwybrau isaf y cymoedd. Fe welwch lawer iawn mwy o anifeiliaid gwylltion nag o bobl; ar y dŵr llonydd, llyngesi o elyrch ac o wyddau mawr fel gwyddau Canada ac o hwyaid a hyd yn oed o belicanod, yn gwbl fodlon eu byd; ac yn erbyn glas yr awyr, o gwmpas gwyrdd y pîn polyn a'r ffynidwydd Douglas, ac islaw'r eira newydd, bydd rhesi a rhubanau melyn ofer yr aethnen a'r pren cotwm. Ond beth yw cerdded o gwmpas llyn; beth yw cerdded ar eich pen eich hunan heibio i'r rhybuddion 'Bear Habitat' i ben draw cwm fel Paintbrush Canyon (planhigyn yw'r *Indian Paintbrush*), beth yw clywed yr elc gwryw yn trwmpedu fel gwŷr Annwfn yng nghanol y fforest, beth yw'r rhain i gyd heb esgyn i ben yr un o'r mynyddoedd mawr? Roedd yr eira'n is na 9,000 o droedfeddi erbyn hyn, ysywaeth, a'r tymor dringo wedi dod i ben. Ni ellid ystyried 13,770 troedfedd y Grand Teton ei hun. Ond ar y trydydd diwrnod yn y Parc, deallodd un dyn fy loes. Galwasom yn swyddfa'r Parc Cenedlaethol yn rhinwedd fy nghysylltiad â Pharc Cenedlaethol Eryri – ac â Bwrdd Hyfforddi Arweinwyr Mynydd Cymru. Cyn diwedd y prynhawn roedd Dan Burgette, John Ellis Roberts y Parc godidog hwn, wedi cynnig mynd â fi i fyny Disappointment Peak (11,618 tr.)! Doedd dim sicrwydd ynghylch cyflwr yr eira, meddai, ond buasai'n werth mynd mor bell ag y gallem.

Y peth dieflig ynglŷn â chynnig hael Dan Burgette oedd fy mod i heb gael cyfle i ymarfer a'i fod ef yn mynnu dringo i'r copa yn syth o lawr y dyffryn mewn un diwrnod. Nid oes cabanau yn y mynyddoedd hyn, na phorfeydd uchel ac ysguboriau. O wersylloedd uchel yr esgynnir y mynyddoedd mawr yn yr haf. Dros bum mil o droedfeddi o ddringo amdani, felly, a chyrraedd maes parcio Lupine Meadows heb frecwast, ychydig cyn y wawr. Mae miloedd o elcod yn gaeafu yn Jackson Hole ac roedd amryw i'w gweld yn symud wrth iddi oleuo, hefyd ambell garw mul. Yna doedd dim ond ambell *chipmunk* neu wiwer i'n difyrru wrth igamogamu i fyny ac i fyny trwy'r goedwig am bum milltir.

Yn y Parc Cenedlaethol, rhaid cofrestru cyn rhoi cynnig ar unrhyw fynydd neu fentro gadael y prif lwybrau yn uwch na'r linell 7,000. Roeddem yn disgwyl cael mynydd i ni ein hunain felly, ar wahân i Ranger arall, Jim, a oedd i ddod ar ein holau yn hebrwng dau ymwelydd arall, warden yn un o Barciau Cenedlaethol Canada a'i gariad. Cyn gwersylla yn y Parc, rhaid gwneud mwy na chofrestru, rhaid cael caniatâd, a chadw'n fanwl at safleoedd penodedig. Rhag tarfu gormod ar natur, ac ar wersyllwyr eraill, ni chaiff mwy na chwech ganiatâd i wersylla yn yr un cyffiniau ar yr un pryd. Ond wrth inni gyrraedd llyn crwn o'r enw Surprise Lake wedi dwyawr o gerdded, dyma Dan yn codi ei glustiau ac yn torri oddi ar y llwybr i gyfeiriad llannerch yn y coed, gan dynnu llyfr nodiadau o'i boced. Nid yn unig roedd yna ddwy babell fechan yn y llannerch, ond roedd yna hefyd dân coed, a thri llanc yn rhynnu yn ei ymyl. Eglurodd Dan yn foneddigaidd wrthynt eu bod yn torri cyfreithiau ffederal (gyda phwyslais ar y ffederal). Rhoddodd ddarlith fer iddynt ar ganlyniadau ecolegol tanau. Ychwanegodd na fuasent wedi cael caniatâd i wersylla ychwaith gan fod arth wedi dwyn bwyd o wersyll cyfagos yn ddiweddar ac yna wedi gorfodi dringwyr i ffoi i ben coeden ar eu ffordd adref. Aelodau o'r Llu Awyr o Idaho oedd y llanciau; wedi iddo gael sicrwydd ar ei radio nad oeddent wedi troseddu yn erbyn y Parc o'r blaen, bodlonodd Dan ar nodi eu henwau, eu rhybuddio a'u siarsio i ddiffodd y tân a chladdu'r lludw yn llwyr. Tybed beth a roddai ffermwyr Cymdeithas Gwarchod yr Aran am bwerau fel hyn?

Ychydig yn uwch na Surprise Lake, daethom allan o'r goedwig ar lan llyn arall, mwy, o'r enw Amphitheater Lake. Creiglyn tebyg iawn i Lyn Llymbren tan Aran Benllyn oedd hwn, ond bod coed pîn yn y pen dwyreiniol ac eira yn yr hafnau serth uwchben. I fyny'r hafn amlycaf oedd ein llwybr ni, yr Eastern Couloir, dringfa Dosbarth 4 yn ôl llawlyfr swmpus Bonney, *Guide to the Wyoming Mountains and Wilderness Areas* (3ydd argraffiad, Chicago, 1977) – 'full knowledge of snow technique required'! Cefais yr argraff mai Gradd III ar y mwyaf yn yr Alpau fuasai Dosbarth 4 system graddio America: yn America, mae pum dosbarth technegol ond bod Dosbarth 5 wedi ei rannu o 5.1 i 5.10 – mae ganddynt hefyd chwe gradd ar gyfer caledi'r daith o ran amser, parhad yr anawsterau, peryglon ac yn y blaen: mae Gradd II, er enghraifft, yn golygu medru cyrraedd y copa o'r *bivouac* tua hanner dydd ar hyd llwybr adnabyddus, gyda ffordd rwydd i lawr: 'rhai dyddiau', gyda llawer o offer dringo, yw parhad taith Gradd VI!

Ychydig yn uwch na'r llyn, cawsom hoe i gael brecwast ac i aros am Jim a'i gyfeillion. Brodor o Iowa gyda gradd mewn ecoleg yw Dan, ond o Alpau Safwy y daeth hynafiaid ei dad, fel bod mynydda yn ei waed. Pobl ddŵad fel ef yw mwyafrif mawr gweithwyr y Parc. Tenau iawn yw poblogaeth y dyffryn a dim ond tuag 1890 y datblygodd unrhyw fath o gymdeithas o gwmpas Jackson. Yn wir, dim ond yn ystod ugeiniau a thridegau'r ganrif hon yr esgynnwyd y rhan fwyaf o'r mynyddoedd am y tro cyntaf. Esgynnwyd Disappointment Peak gyntaf yn 1925, gan Phil Smith, un o wardeiniaid cyntaf y Parc, a gŵr o'r enw Harvey. Methu mynd ymlaen at y Grand Teton ei hun oedd y siom – mae dibyn enbyd rhwng y ddau fynydd – ond siomwyd hwy hefyd pan anafwyd Harvey yn yr hafn ddwyreiniol ar y ffordd i lawr (roeddent wedi esgyn ar hyd llwybr haws y Lake Ledges). Wrth i ninnau ailgychwyn cyhoeddodd Dan, yn union fel y bydd tywysyddion Safwy, fod dringwr ifanc wedi llithro i'w farwolaeth wrth ddod i lawr yr hafn honno yn ystod yr haf – heb ymraffu, gyda'i gariad yn aros amdano yn y gwaelod.

I gychwyn, nid oedd yr hafn yn serth ond pan glywsom rywfaint o hen eira rhewllyd tan ein gwadnau, ymraffasom yn ddau barti. Wedi disgwyl eira meddal, nid oedd gennym gramponau ac aeth Jim ymlaen i naddu grisiau lle'r oedd wal o rew yn brigo i'r wyneb wrth i'r hafn droelli a chulhau. Tua 600 o droedfeddi yw uchder darn serth yr hafn ac mae'r chwarter uchaf yn bur syth: gosododd Jim nyten a sling mewn agen yn y graig i'n diogelu ar gornel anodd. Wedi cyrraedd pen y dibyn, fodd bynnag, roedd llafur caled yn ddigon i gyrraedd creigiau'r copa. Creigiau rhwydd, cadarn oedd y rhain ac er bod yr uchder yn fy arafu fi yn fwy na'r bobl ifanc erbyn hyn, dyna braf oedd cydio yng nghrib y mynydd wedi hir fustachu trwy eira gwlyb a baglu droeon ar gerrig cudd. Un hoe arall, un funud wan o gredu y buasai'r copa yn rhy bell wedi'r cyfan, ac yr oeddem yno, a bron iawn dros y dibyn brawychus yr ochr draw (ein hochr ni, yn bendant, oedd ochr orau Siom). Roedd hi'n oer ac yn anghyfforddus, siŵr iawn, ond roedd yr olygfa agos yn ysgytwol – duach a llai glasierog na golygfa debyg yn yr Alpau neu'r Himalaya, ond â'i lond o arwriaeth a chadernid. Roeddem yng nghanol cewri'r gadwyn, y Grand Teton ei hun a'i lasier, y Middle Teton, y Nez Percé (11,901 tr.) a Mount Owen (12,928 tr.) – pob un o fewn cylch milltir o'n cwmpas. Am nad wyf wedi bod ar ei gyfyl, mae'n debyg, daeth i'm meddwl mai fel hyn y buasai'r Cawcasws.

Tua'r dwyrain, nid oedd yr un gadwyn o fynyddoedd i'w chymharu â'r rhain. Tua'r gorllewin, gorchuddiwyd Idaho gan gymylau eira isel; i'r de, ymddolennai neidr euraid Snake River ar ei ffordd at Afon Columbia a'r Pasiffig, a dim arwydd o fodolaeth dyn i'w weld yn unman o gwmpas. Ac eto, a yw'r un mynydd yn bod, mewn difrif, cyn ei enwi gan ddyn? Beth am Mount Owen, yr anoddaf o'r mynyddoedd hyn, nad esgynnwyd mohono cyn 1930? Enwyd ef ar ôl un o esgynwyr cyntaf y Grand Teton, William O. Owen (1859–1947). Gwnaeth Owen amryw o esgyniadau cyntaf ond honnir gan Bonney iddo ddilorni, a hyd yn oed geisio cuddio, tystiolaeth fod eraill wedi dringo'r Grand Teton o flaen cyrch lwyddiannus ei barti ef yn 1898 – yn 1872, ac eto yn 1893. Mae archifwyr y dalaith, ac awdurdodau eraill fel Ortenburger, yn dal i amau dilysrwydd yr esgyniadau blaenorol hyn. Ai peidio â bod, felly, y mae mynydd unwaith y daw dyn â'r cythraul creigiau ar ei gyfyl? Beth bynnag am hynny, yn nhalaith Utah y ganed William O. Owen. Yn naw oed, daethpwyd ag ef mewn un o res o wagenni i Laramie. Erbyn iddo ddringo'r Grand Teton, ef oedd Archwiliwr Talaith Wyoming. O ran ei dras, tybed a oes gennym fynyddwr Cymreig arall yma?

Saith awr a gymerodd y daith i'r copa, gan gynnwys yr hoe hir yn yr Amphitheater. A'r diwrnod yn byrhau, rhaid oedd brysio yn ein holau y ffordd gyntaf bosibl, a'r hafn eto oedd y dewis. Ar wahân i'r darn uchaf, lle'r oedd angen wynebu ar i mewn ar risiau bychain rhewllyd, daethom i lawr yn sydyn ddigon. Ac er bod y llwybr cynnil trwy'r goedwig yn faith, roedd ei raddfeydd yn berffaith a ninnau'n teimlo fel sgiwyr braidd wrth bendilio i lawr i'r dyffryn. Yng nghanol y coed, ychydig wedi pasio croesffordd Garnet Canyon (a llwybr cyffredin y Grand Teton) clywsom sŵn Santa Clôsaidd oddi tanom a dyna gawr barfog tebyg i Clint Eastwood yn dod i'n cyfarfod gyda sach anferth ar ei gefn a chylch o glychau crynion, plentynnaidd ar ei ffêr chwith. Rhag yr eirth y byddant yn gwisgo clychau bach fel hyn: rhodder i'r arth rybudd digonol, dywedant, ac fe gilia oddi wrthych yn rhadlon. 'How's it going, brother?' ebe'r crwydrwr yn gynnes wrth Dan. 'Are things looking up with you?' Am eiliad, credwn mai hen gyfeillion mynwesol oeddynt, ond dyna sut y bydd dieithriaid yn cyfarch ei gilydd yn unigeddau'r Gorllewin Gwyllt. Holodd Dan ei gwestiynau warden a chrybwyll ein bod newydd ddringo Disappointment. 'Say, you're a Ranger!' ebe'r cawr cyn troi ataf fi'n frwdfrydig a gofyn, 'Are you a Ranger too? That's great. And you both go climbing on your day off.' 'No,' atebodd Dan yn gadarn, 'we're on mountain patrol.' Ar ôl hynny, ni allwn lai na charlamu i lawr at Lupine Meadows tan ganu. 'Wilderness Men' oedd yr enw a roddwyd ar arloeswyr fel Siôn Ifan wrth iddynt ddod yn rhan o chwedloniaeth y Gorllewin. Roedd 'Ranger' yn hen ddigon da i waed teneuach ei gefnder, na orfodwyd i wynebu'r Sioux na'r Arikara, heb sôn am hela am ei wala. Iddo ef, ar yr ochr orau y mae unrhyw siom sy'n dal i berthyn i Disappointment Peak.

Cip sydyn ar Yuraq Janka

Parry-Williams fyddai'n 'wylo gan enw'. Enw Santa Fe a'i hysgogodd i gyfaddef hynny. Enwau lleoedd na welodd erioed a fyddai'n dod â dagrau i'w lygaid ef, mi gredaf. Enwau'r lleoedd a gofiaf yn felys sy'n gwneud i mi dagu wrth eu clywed dros uchelseinydd gorsaf neu faes awyr: pan glywsoch chwi 'Swissair announce the departure of their Flight SR803 to Zürich', gweld gwraig ifanc a thri o blant yn croesi'r ffordd o'r Hauptbahnhof i'r Schweizerhof ar eu ffordd i sgïo a wnes innau. Cyffroi'r llon ynof, yn hytrach na'r lleddf, y bydd enwau sydd â dim ond eu hud cynhenid i ddylanwadu arnaf, neu gysylltiad â rhyw gerdd neu gân. Nid ei bod yn hawdd datod yr anturus llon oddi wrth yr hiraethus lleddf bob amser – cerddi a ddysgwyd inni gan fy nhad yng ngwersi Saesneg hen Ysgol Ramadeg Dolgellau a ddeffrodd hud aml i enw ynof gyntaf erioed:

> When I was but thirteen or so
> I went into a golden land,
> Chimborazo, Cotopaxi
> Took me by the hand . . .

I walked in a great golden dream
To and fro from school –
Shining Popocatapetl
The dusty streets did rule . . .

Yn ddeg neu un ar ddeg oed y cefais innau fy nghyfareddu gan enwau Chimborazo, Cotopaxi a Popocatapetl, yng ngherdd W.J. Turner – a Samarkand James Elroy Flecker o ran hynny – 'Voices of the Caravan (in the distance, singing): "We make the Golden Journey to Samarkand"' – a hyd yn oed Adlestrop Edward Thomas, 'only the name'. Ar Mecsico y mae'r llosgfynydd rhewllyd 17,800 troedfedd Popocatapetl yn llathru: fel y traethodd yn ei gyfrol *Illimani*, cramponodd T. Ifor Rees i'w ben yn 1933, ar yr ail gynnig. Ni fûm ar ei gyfyl eto ond, ym Mai 1987, wrth hedfan dros Quito, prifddinas Ecwador, a'r Cyhydedd, ar fy ffordd o Bogota – a Caracas, a Madrid a Paris – i Lima, nid oedd amheuaeth nad eiddo Chimborazo oedd y copa mawr crwn gwyn uwchben y cymylau i'r gorllewin, copa a esgynnwyd gyntaf yn 1880 gan Whymper, dan arweiniad yr enwog Jean-Antoine Carrel o Valtournanche (tan fur deheuol y Cervin neu'r Matterhorn) a'i gefnder Louis. Toc daeth yn amlwg bod y mwg du a godai trwy ambell dwll yn y môr o gymylau'n deillio o gopa Cotopaxi, llosgfynydd uchaf y Ddaear, sydd tua mil o droedfeddi'n is nag 20,500 Chimborazo ond sydd yn dal i fygu. Er gwaethaf eu huchder, mynyddoedd cymharol rwydd i'w dringo yw'r rhain yn ôl pob sôn. Ymhen rhyw dri chan milltir, wedi croesi ffin Periw, buasem yn cyrraedd Yuraq Janka (Gwyn Rew) a rydd ei enw Quechua i gadwyn sy'n fwy adnabyddus fel y Cordillera Blanca, y gadwyn uchaf ond un ar gyfandiroedd America, yr uchaf oll yn y Trofannau i gyd, a'r fwyaf cyson ysgithrog a lluniaidd yn unman yn ôl llawer i fynyddwr a welodd yr hufen iâ wedi ei bentyrru mor afradlon dros y llethrau uchaf, fel pe bai'r gwaith wedi ei ymddiried i ryw dduwies ifanc orchestol ond dibrofiad. Tua chan milltir yw hyd y gadwyn, gyda'r Cordillera Huayhuash yn ymestyn y gorchestwaith gwyn am ugain milltir yn rhagor cyn bod duwiau'r Andes yn cynilo rhywfaint – dim ond rhywfaint – ar yr hufen wrth anelu ar hyd yr holl gyfandir cyn belled â Tierra del Fuego, gan roi asgwrn cefn mor unochrog i Dde America ar hyd y 4,000 milltir o Venezuela i'r Horn. Dim ond rhyw ddeuddeg milltir ydyw lled y Cordillera Blanca, fodd bynnag; i'r gorllewin mae'r Môr Tawel o fewn trigain milltir, o'i gymharu a'r ddwy fil rhyngddo ac aber Afon Amazon.

O bell, dim ond awgrym o ryferthwy ewynnog ym mhen draw môr gwyrdd tywyll ydoedd y Cordillera. Yna roeddem yn croesi anialdir rhychiog – gor-rychiog – llwyd, brown a phiws, a muriau gwynion yn ymgodi o'n blaenau, a llinell yr eira yn hynod o union ymhobman. Wrth hedfan uwchben rhan uchaf y gadwyn, gallwn adnabod dau gopa Huascarán, y mynydd uchaf yn America heblaw Aconcagua, ar ffin orllewinol yr Ariannin, a esgynnwyd gyntaf gan Matthias Zurbriggen o Saas Fee, ar ei ben ei hun, yn 1897 – 6798 metr (22,205 tr.) yw uchder copa deheuol Huascarán, o'i gymharu â 6959 metr (22,835 tr.), pwynt uchaf Aconcagua. Credwn hefyd fy mod wedi nodi Nevado Allpamayo (5947m; 19,600 tr.), mynydd harddaf y Ddaear yn ôl pleidlais a gynhaliwyd mewn cynhadledd ryngwladol: nid yw ystyr ei enw mor hardd – 'afon fwdlyd', sef enw'r cwm wrth ei droed ogledd-orllewinol. Yn y cyffiniau hyn, ni ellid camgymryd dau gwm hir, cul, tywyll bron iawn â hollti'r gadwyn: cerdded i fyny un ohonynt oedd fy nod innau, croesi'r bwlch yn ei ben, ac – wedi croesi tri bwlch arall – dychwelyd i lawr y llall. Er mor agos iddynt oedd y glasierau, cefais yr argraff fod y bylchau allweddol, o drwch blewyn, yn rhydd o eira – o safbwynt cerdded o le i le, un o fanteision cadwyn drofannol yw bod y glasierau fel arfer yn uwch na tua 4800 metr, tuag uchder y Mont Blanc. Funudau wedi inni gefnu ar gymhlethdod a glendid Yuraq Janka, roedd y DC9 yn suddo'n raddol i'r *garua*, y niwl môr a glaw mân rheini sy'n amgylchu Lima rhwng Ebrill a Medi, a'm meddwl innau'n pendroni ynghylch problemau glanio'r peilot, agweddau ansicr fy nghynlluniau innau ac, yn wir, holl gyflwr Periw ar yr adeg isel honno yn ei hanes cythryblus.

Dwn i ddim ai hen draddodiad yw'r arfer o lwytho bysiau

pellter hir Lima y tu ôl i ddrysau tal, cloëdig, ynteu a yw'n fesur diweddar yn erbyn milwyr rhyddid, terfysgwyr neu ladron. Wedi imi drefnu gyda chwmni teithio i ymuno ag un o dreciau clasurol Yuraq Janka, i iard gefn ddigon cyfyng yr es i gyfarfod fy nghyddeithwyr. Roeddwn yn disgwyl dwsin o leiaf, ond dim ond pedwar oedd wedi ymrestru ac roedd dau o'r rheini am ein cyfarfod yn Huaraz, prif dref talaith Ancash, tua 250 milltir i'r gogledd o Lima. Duncan o Glasgow oedd yn cychwyn gyda mi. O weld ei fod yn ddeg ar hugain sionc a chlywed ei fod yn treulio wythnosau bob gaeaf a haf yn dringo i'r graddau uchaf yn Ucheldiroedd yr Alban, dechreuais boeni a oeddwn yn ddigon atebol i gychwyn – nid oeddwn wedi cael cyfle i ymarfer ond, am ei fod yn gweithio fel trydanwr ar rig olew ym Môr y Gogledd, roedd Duncan yn cael wythnosau o wyliau bob yn ail ag wythnosau di-dor o waith, trwy gydol y flwyddyn. Manteisiodd Roberto, un o staff ifanc pencadlys y cwmni, ar y cyfle i gymryd un o'r lleoedd gwag, ond Indiad o'r enw Hidalgo oedd ein tywysydd, brodor o'r Cordillera Huayhuash er gwaethaf ei enw Sbaeneg; ei wraig Inocencia, oedd ein cogyddes. Ar ôl inni aros am ddwyawr o leiaf, cyrhaeddodd bws gyda Lima–Huaraz ar ei dalcen a Transportes Rodriquez ar ei ochr, agorwyd y drysau led y pen a llwythwyd ein trugareddau pabellu ar y to. Prin fod y bws cystal ag eiddo Purple Motors, Bethesda, dyweder, neu D. a G. Llanllechid neu Jones Login, heb sôn am Caelloi, ond roedd yn fwy solet nag eiddo ambell gwmni yng nghefn gwlad Cymru, ac roedd mawr angen iddo fod felly.

Chwe miliwn yw poblogaeth Lima ac y mae eu hanner yn byw mewn tua hanner cant o faestrefi sianti ar y cyrion, Indiaid gan mwyaf, wedi ffoi oddi wrth dlodi a gormes a therfysg milwrol y mynydd-dir. Braf oedd cael dianc rhag y tomenni sbwriel, y blerwch, yr oglau, y ffyrdd llawn tyllau, y siopau pitw, yr adeiladau simsan, yr hysbysebion croch a'r moduron rhydlyd, tolciog a chyrraedd ffordd eithaf cyflym uwchben y môr, rhan o'r Briffordd Banamericanaidd fondigrybwyll. Nid oedd agosrwydd y dibyn yn poeni llawer arnaf, ond rhai wythnosau wedyn gwelais adroddiad fod bws gorlawn wedi mynd dros yr ymyl a disgyn cannoedd o droedfeddi i'r môr. Wedi gadael y clogwyni, digon anniddorol oedd y daith ar hyd gwastadedd llychlyd, trwy bentrefi digymeriad a heibio i sloganau mynych o glod i Alan García – neu Alan yn unig – a etholwyd yn Llywydd Periw tua dwy flynedd ynghynt. 'Chwith canol' yw'r disgrifiad arferol o'i safbwynt ef. Am flwyddyn neu ddwy cafodd gefnogaeth gyffredinol i'w fwriad i ddyrchafu'r Indiaid a'r tlodion a hybu hunangynhaliaeth gwlad a ddylai fod ymhlith y cyfoethocaf. Clodforwyd yn arbennig ei bolisi o wrthod talu mwy o log ar ddyled dramor enfawr Periw na gwerth 10 y cant o'i henillion allforio. O ganlyniad, esgymunwyd Periw gan y sefydliadau cyllid cydwladol, ni chafodd llywodraeth García fawr o hwyl fel gweinyddwyr, aeth chwyddiant trwy'r to, collodd cyflogau eu gwerth a ffyrnigodd y frwydr rhwng terfysgwyr Sendero Luminoso a'r fyddin. Pan genedlaetholwyd y banciau'n ddirybudd, cychwynnodd adwaith o blaid masnach rydd a rhyddid dinesig tan arweiniad y nofelydd Mario Vargas Llosa. Disgwylid mai Vargas Llosa fuasai'r llywydd nesaf. Fel y digwyddodd, Alberto Fujomori a etholwyd yn 1990: er iddo gynnig ffordd ganol yn ystod ei ymgyrch, buan y symudodd i'r asgell dde yn wleidyddol yn ogystal ag o ran polisi economaidd – polisi o 'awdurdod a chynildeb', chwedl yntau – gan ddiddymu'r Senedd a dibynnu ar y fyddin. Bellach, cyhoeddwyd *A Fish in the Water*, cyfieithiad o *El pez en el agua* (1993) plethiad rhagorol Vargas Llosa o hanes ei ymgyrch arlywyddol a'i hunangofiant cynnar. Gwleidydd anfoddog ydyw sy'n gyfuniad rhyfedd o weledigaeth Vaclav Havel a chred ddigyfaddawd Margaret Thatcher yn y farchnad. Gan ei fod yn pwysleisio na ellir cymharu sector cyhoeddus gwlad anobeithiol lwgr yn y Trydydd Byd â gwasanaethau cyhoeddus gwrthrychol Gorllewin Ewrop, anodd peidio â chydymdeimio â'i awydd am chwyldro rhyddfrydol ym Mheriw. Ac yntau'n perthyn yn y bôn i'r hen ddosbarth breintiedig, fodd bynnag, hoffwn gael yr ochr arall gan nofelydd cystal sy'n dal yn driw i'r Chwith, fel Gabriel García Márquez o Golumbia.

Cyn troi oddi wrth y glannau sychion i gyfeiriad yr Andes, arhosodd y bws yn Barranca, pentref coediog sylweddol, a daeth rhes o blant siriol, glân, tua deg oed i mewn atom i werthu ffrwythau: 'Mandarinas, Peras, Melocotonos, Manzanas, Ananas . . .' Nid ynganwyd y Sbaeneg erioed mor glir a swynol. Annheg yw cysylltu unrhyw iaith â sefydliad gwleidyddol, yn hytrach nag â phlant a beirdd. Er ei bod yn iaith y concwerwr, er gwaethaf yr amrywiaeth acen o le i le, onid Sbaeneg yw'r fwyaf soniarus o'r ieithoedd mawr? Pam y mae *Veinte poemas de amor y una canción desesperada* (ail gyfrol Neruda) yn swnio cymaint gwell nag *Ugain o gerddi* neu hyd yn oed *Ugain o gerddi serch ac un gân o anobaith*, heb sôn am *Twenty love poems and a song of hopelessness*? Agwedd arall eto ar hud enwau a phellter. Oni honnodd rhyw dramorwr mai geiriau mwyaf swynol yr iaith Saesneg oedd *cellar door*?

O freuder y plant i erwinder ceunant enfawr yn y Cordillera Negra, rhagfur y Cordillera Blanca. Cofiwn gael fy syfrdanu gan uchder di-ben-draw creigiau'r Churfirsten uwchben y Walensee, wrth deithio trwy'r Swistir am y tro cyntaf yn y trên, a sylweddoli mai mynyddoedd cymharol isel oedd y rhain yn ôl safonau'r Alpau. Daeth yr un profiad imi eto wrth i'w bws igam-ogamu am oes i fyny'r ceunant. Ymhen hwyr neu hwyrach, dyma ni'n cyrraedd y *puna*, y llwyfandir o gwmpas yr Andes, a mynydd mawr cyfan yn codi ohono fel Buachaille Etive Mòr o rostir Rannoch, glasierau bychain yn ei geseiliau a thrwch o eira ar ei ben, digon o fynydd ynddo ei hun i'm cadw'n hapus am bythefnos. Dim ond rhyw Foel Wnion oedd hwn ar raddfa'r Andes, fodd bynnag, a dyma ni'n troi i'r gogledd eto a chroesi'r bwlch i flaen y dyffryn hir rhwng y ddau Cordillera – Bwlch Canococha, dros 4000 metr neu 13,400 troedfedd yn uwch na lefel y mor a adawsom ddwy neu dair awr ynghynt. Mae tref Huaráz 3,000 o droedfeddi yn is yn nyffryn y Rio Santa, neu'r Calleón de Huaylas a rhoi ei briod enw iddo.

Tipyn o gambl yw cychwyn ar daith hir yng nghwmni dieithriaid llwyr. O ran greddf, buaswn wedi gwaredu rhagddo oni bai am y gwrthdaro rhwng hyd fy ngwyliau a gofynion fy ngwaith. Rhaid cyfaddef fy mod wedi bod yn hynod ffodus y ddau neu dri thro i mi fentro, fodd bynnag. Roedd Mathilde ac Olaf eisoes wedi cyfarfod ar daith gerdded bum niwrnod gyda

mintai arall ac felly yn eu cymal yn barod. Hanai Mathilde o
Bordeaux ond roedd newydd dreulio cyfnod fel athrawes yn y
gymuned Ffrangeg y tu allan i New Orleans, cyn cychwyn ar ei
gyrfa o ddifrif yn Ffrainc; fel arfer, bydd Ffrancesau (yn wahanol
i'r Belgiaid a Swisiaid Ffrangeg) yn sbio i lawr eu trwynau y
munud y rhoddaf gynnig ar siarad eu hiaith, ond roedd gair mor
ystrydebol ag *enchanté* yn ddigon i Mathilde fy nghyfrif ymhlith y
cadwedig am weddill y daith. O Norwy yr hanai Olaf –
Llychlynnwr mawr tal barfog, bras ei gam – ond roedd yn dal i
fyw yn yr Unol Daleithiau ar ôl bod yn gweithio yn adran
arloesol un o'r cwmnïau olew mawr. Ers ymddeol yn weddol
gynnar, bu'n treulio'r rhan fwyaf o'i amser ar deithiau cerdded
clasurol pum cyfandir. Er ei fod tua'r un oed â mi, suddodd fy
nghalon o ddeall ei fod newydd gerdded yr holl ffordd ar hyd
cadwyni gorllewinol yr Unol Daleithiau, ar wahân i un darn lle'r
oedd yr eirth yn rhy beryglus. Fel fy ngwraig innau, roedd ei
wraig yn rhy gall neu'n rhy gyfrifol i'w ganlyn i'r fath leoedd, ac
roedd gwraig Duncan wedi ei adael am blismon. Efallai fy mod
innau'n wryw henffasiwn, mae'n debyg fod yna esboniad digon
rhyddieithol, ond ni allwn ddeall sut y gallai merch ifanc mor
brydweddol a chytbwys â Mathilde fod wedi dewis dod draw i
Beriw heb gwmni ffrind. Fel y digwyddodd, hyhi oedd y cerddwr
cryfaf ohonom i gyd.

Tua 50,000 yw poblogaeth Huaraz ond ni fuasech yn credu
hynny o'i gweld. Dinistriwyd y rhan fwyaf ohoni yn naeargryn
enwog 1970, pryd y lladdwyd 15,000, tua hanner ei phoblogaeth
ar y pryd, a hyd at 80,000 yn y dyffryn cyfan. Nid hon oedd y
ddaeargryn gyntaf yn oes y rhan fwyaf o'i thrigolion. Nid hon
fydd yr olaf. Hefyd collwyd 5,000 yng nghanol Huaraz pan
ddinistriwyd argaeau naturiol dau lyn uchel gan afalans yn 1941.
Pwy fyddai â digon o galon i godi adeiladau tal neu osgeiddig
yma? Ond yn wahanol i'r cwt pren ac arno'r geiriau 'The Huaraz
Hilton', mae'r gwesty swyddogol ar y cyrrau yn ddigon
cyfforddus, a'r caeau o'i gwmpas yn ddigon toreithiog a lliwgar.
I'r dwyrain, dim ond copa eithaf ambell fynydd mawr sy'n dod i'r
golwg uwchben llethrau'r bryniau is. Tua'r gogledd, fodd bynnag,

dros ddeugain milltir i lawr y dyffryn, gwelir Huascarán yn codi ac yn lledu, weithiau'n amlwg ddigon ond ran amlaf fel rhith. Dau beth a gofiaf ynghylch ein harhosiad byr yn Huaraz. Y cyntaf yw ymweld â Swyddfa'r Parc Cenedlaethol a sefydlwyd yn 1975 ar gyfer y rhan fwyaf o'r Cordillera, er mwyn cofrestru'n hymweliad, talu mynediad a chael sgwrs gyda Swyddog y Parc, gyda help Roberto. Roedd yn ddigon i yrru Swyddog Parc Cenedlaethol Cymreig neu Seisnig, hyd yn oed, i gyfrif ei fendithion: y tu allan i'r diwydiant amaeth, hwynt-hwy, efallai, yw'r cwynwyr proffesiynol mwyaf dolefus ym Mhrydain. Hen gwt pren digon simsan oedd Swyddfa'r Parc. Tolciog a rhydlyd oedd yr unig gerbyd y tu allan. Prin ryfeddol oedd yr unig wybodaeth y gellid ei gynnig i ymwelwyr ac ar ddalennau teipiedig yr oedd honno. Disgwylid y buasai rhyw Athro Smith o Missouri yn cyhoeddi llyfr ar blanhigion y Parc yn y dyfodol agos ond roedd angen peth wmbredd o ymchwil bellach cyn gosod seiliau cadarn i waith gwarchodaeth. O leiaf cafodd y mynydd-oedd lawlyfr dringo gwych yn *Yuraq Janka* John F. Ricker (Banff ac Efrog Newydd, 1977), a gyhoeddwyd gan Glybiau Alpaidd Canada ac America ar y cyd. Hyd yn oed os nad ydych â'ch bryd ar gopa uchel, mae'r gyfrol yn werth ei phrynu ar gyfer y mapiau, y ffotograffau, yr ysgrifau rhagarweiniol, yr adran ar yr iaith Quechua a'r agwedd iach tuag at bobl y bryniau a'r amgylchedd: yn ôl yr awdur, 'mae mynyddoedd y Ddaear yn mynd yn ysglyfaeth i ormodedd o ymwelwyr' – dim ond oherwydd bod yr ardal eisoes yn derbyn cynifer o ymwelwyr, ymwelwyr y dylid dylanwadu arnynt i amharu cyn lleied ag y bo modd ar y wlad a'i phobl, y penderfynwyd cyhoeddi'r gyfrol o gwbl. Canmolwn felly bolisi'r Parc o beidio â marcio a gwella llwybrau, er bod yr angen i warchod y dyffryn rhag gorlifiadau'r llynnoedd mwyaf yn golygu bod corff arall, Ingemmet, wedi creu ambell ffordd a safle gwersyll uchel. Oni ddaw mwy o'r cymorth rhyngwladol a gafwyd i sefydlu'r Parc, cwestiynau pur academig fydd wardeinio a dehongli hyd yn oed ar raddfa gymedrol, heb sôn am gael trefn ar yr holl olion archaeolegol cyn-Inca: mae'n werth gweld y meini cerfiedig hynod mewn gardd y tu ôl i amgueddfa fechan Huaraz, llawer ohonynt yn bennau breision ag awgrym o'r Celtaidd ynddynt: perthynant i'r diwylliant Chavin a gyrhaeddodd ei anterth tua 500 CC: mae'n briodol fod yna ysgol gelf y drws nesaf.

Nid oedd bwyd Periw yn apelio rhyw lawer ataf, efallai oherwydd fy mod yn cael cryn dipyn o drafferth stumog ers cyrraedd. Roedd golwg ddeniadol iawn ar un bar bychan yn rhodfa Luzuriaga, Huaraz, fodd bynnag, ac wedi cael paned o goffi yn y pen draw synhwyrais fod y gerddoriaeth gefndir hefyd yn fwy chwaethus nag arfer. Roedd rhywbeth cynefin yn ei gylch ac yn y man roedd yn rhaid imi gredu mai Cymraeg oedd geiriau'r gân. Siŵr iawn – roeddwn yn adnabod y canwr hefyd – Alan Stivell yn canu 'Mae gen i ebol melyn'. Rhuthrais at y bar i holi'r perchennog yn Gymraeg. Deallodd Patrick Bertrand ar unwaith mai Cymro oeddwn ond atebodd yn Ffrangeg. Llydawr ydoedd: petaswn wedi sylwi ar yr arwydd y tu allan, Creperie Patrick, buaswn wedi deall fy mod mewn crempogfa Lydewig. Ni chefais esboniad call am ei phresenoldeb. Ni chafodd Mathilde chwaith. Ond pam lai? Gwelais fwytai Tsieineaidd ac Indiaidd yn Stornoway ac roedd amryw o alltudion Ewropeaidd yn Huaraz, dringwyr Bohemaidd y rhan fwyaf, yn byw yn rhad ar eu bloneg, neu ar werthu offer dringo a thywys ymwelwyr unigol cefnog i un o'r cymoedd uchel i weld y *Puya Raimondi*, math o gactws phalig tua phum gwaith maint dyn, nid annhebyg i fys y blaidd enfawr, yn tyfu allan o afal pîn. Trewais hefyd ar Iseldirwr trwsiadus ei wisg, yn tynnu sgwrs gyda phob ymwelydd yn ei dro, ac yn mynnu mai craidd holl broblemau Periw oedd bod ei llywodraeth yn gwrthod pob buddsoddiad a chymorth o'r tu allan. Gresyn na fu Graham Greene yn y cyffiniau hyn ac yntau yn ei anterth.

Punta Unión de Santa Cruz

Nid bws cyhoeddus, na bws mini, aeth â ni yn ein blaenau i lawr y dyffryn ond bws mawr bychan, un lliwgar wedi ei logi'n arbennig, bws tebyg i'r Dreigiau Cochion a welir o gwmpas

Caernarfon. Empresa Huandoy oedd yr enw ar ei thalcen (un o'r copaon uchaf uwchben y dyffryn yw Huandoy), Huaraz – Carhuaz – Yungay oedd enwau'r trefi ar ei ochr ac roedd darlun o Huandoy eiraog ar ei gefn. Ar y ffordd, roedd yn rhaid aros ger safle'r hen Yungay, tref hardd a ddiflannodd yn llwyr tan afalans rew a daeardor craig o ben Huascarán yn ystod daeargryn 31 Mai 1970, gan gladdu 18,000 ac arbed y 240 a lwyddodd i redeg i fyny bryn at y fynwent, ynghyd â chriw o blant a aeth i wylio syrcas ar y cyrrau. Cwympodd hyd at 15 miliwn metr ciwbig o wenithfaen o wyneb gorllewinol Huascarán Norte, ynghyd â 3 miliwn metr ciwbig o rew. Tri munud yn unig a gymerodd y cyfan i ddisgyn 4000 o fetrau a 14 kilometr, gan neidio'r bryn 700 troedfedd uwchben y dref a mynd i lawr y dyffryn am ddeugain milltir: bu ond y dim i Carás (Carhuaz) gael ei chladdu hefyd. Mor dew oedd y llwch yn yr awyr fel na allai hofrenyddion lanio yn y cylch am o leiaf dau ddiwrnod. Dim ond wyth mlynedd ynghynt, roedd afalans llai wedi dinistrio'r dref fach agosaf at Yungay, Ranrahirca, heb ymyrraeth daeargryn, gan ladd 4,000: y tro hwnnw, arbedwyd Yungay gan y bryn. Bellach codwyd cerflun enfawr o Grist ar safle'r fynwent: yng nghanol llyn mawr llonydd o fwd caled, pedair palmwydden yn unig sy'n nodi canolbwynt yr hen dref. Yn eironig braidd, chwyddodd poblogaeth trefi'r dyffryn wedi'r ddaeargryn gan fod afalans o bobl wedi llifo i mewn i fanteisio ar y cymorth a estynnwyd gan wledydd tramor, a'r cyfle am waith ailadeiladu, a'r posibilrwydd o sicrhau tir y meirwon yn rhad. Codwyd ysbytai gan Cuba a'r Swistir a gwelir tua chant o gabanau Rwsaidd yng nghraidd Yungay newydd fwy cysgodol. Cymorth cydwladol a ddarparodd y ffordd fodern y daethom ar ei hyd i Huaraz. Agorwyd y cylch i ymwelwyr ac i Lima, a dechreuwyd lefelu diwylliant unigryw un o ddyffrynnoedd mwyaf enciliedig Periw.

Ar ôl gadael y ffordd fawr yn Carás, llwyddodd y bws i fynd â ni tua 1,500 o droedfeddi i fyny llethrau'r dyffryn: mewn pant waliog yn agos i ganol pentref bach Cashapampa y codwyd ein pebyll am y tro cyntaf, a hynny yng ngŵydd hogiau bach y pentref, pob un yn mynnu 'one biro' oddi wrthym hyd berfeddion nos – mae'n amheus gennyf ai arwydd o awch am addysg yw'r ysfa yma i gasglu beiros: wedi profi'r un awch mewn pentrefi eraill, gwell gennyf gredu mai'r beiro, bellach, yw cyfrwng pob cyfnewid ymhlith plant ucheldir Periw, neu fod eu geirfa Saesneg wedi ei chyfyngu i'r unig wrthrych y mae dringwyr tlawd yn debyg o estyn iddynt yn ddidrafferth. Yn sicr, dyma un ffordd i dorri'r garw a sefydlu perthynas â dieithriaid ecsotig fel ni. Er bod gan un hogyn deg oed gap melyn ag arno'r gair 'Volvo', ac imi gyfeirio fy meiro innau ato ef yn arwydd penodol o deyrngarwch i'r cwmni solet hwnnw, o wlad fechan rydd, prin y gellid credu mor henffasiwn oedd awyrgylch y pentref. Gwelais hen wraig fechan mewn het yn gyrru dau fochyn du ar hyd y llwybr gan nyddu sidan melyn; tair arall yn eistedd mewn llwyn wrth yr un gwaith; eraill yn cyrraedd gyda maint coelcerth weddol o briciau ar eu cefnau; plant yn cario llond bwcedi o ddŵr o'r ffynnon. Efallai fod y dynion a'r merched ifanc i fyny yn yr hafotai. Nid wyf yn sicr i ba raddau y gellid priodoli ein tymhorau ni i fynydd-dir mor agos i'r Cyhydedd: mae yna dymor sych rhwng Mai ac Hydref, ac yna dymor gwlyb. A'r tymor sych wedi parhau tua mis, a'r awyr yn dragwyddol las, cefais yr argraff ei bod hi rywbeth yn debyg i hydref mewn ambell le. Dim ond unwaith yr anghofiais ein bod ar ochr ddeheuol y Cyhydedd a chredu am ychydig eiliadau arswydus fy mod yn mynd yn hollol groes i'r cyfeiriad iawn.

Wrth iddi dywyllu, daeth dau ddyn ifanc main, llwyd eu gwedd, yn sydyn i'r golwg a disgyn yn erbyn y wal yn ein hymyl, heb nerth i dynnu'r sachau trymion oddi ar eu cefnau. Estynnwyd diod iddynt ac, wrth iddynt ddod atynt eu hunain, deallais mai Slofeniaid oeddynt, a'u bod newydd esgyn Nevada Santa Cruz, y copa mawr agosaf atom, triongl main dramatig 6259 metr, a dod yr holl ffordd i lawr heb noson o gwsg gan eu bod yn dioddef o'r uchder: gadawsant dri chydymaith mewn pebyll wrth droed y mynydd. Yn 1948 yr esgynnwyd y copa hwn am y tro cyntaf, gan fintai o'r Swistir a sefydlodd un gwersyll ar y llethrau, a *bivouac* yn agos i'r copa. O gofio traddodiad dringo cryf Slofenia, fodd bynnag, roeddwn yn ddigon parod i gredu'r hogiau, ac yn cenfigennu wrthynt. Bymtheng mlynedd ynghynt, roeddwn wedi cael y fraint o gyfarfod llywydd Cymdeithas Alpaidd Slofenia, awdur llyfr Slofeneg swmpus ar yr Himalaya, a phrif farnwr y Weriniaeth ar y pryd. Yr adeg honno, roedd gan y gymdeithas 70,000 o aelodau, a hynny o boblogaeth lawer llai na Chymru.

I gychwyn ar ein taith i fyny Quebreda Santa Cruz, aethom ar i lawr at enau ceunant cul yr afon sy'n arllwys o'r cwm cymharol wastad hwn. Erbyn hyn, roedd ein hoffer wedi eu llwytho ar saith *burro* – bastard mul – yng ngofal tri *arriero* o'r pentre, Pancho, Nicasio ac Evaristo. Roedd Inocencia hithau wedi sicrhau ceffyl hynod sicr ei droed a chytbwys ei natur ar ei chyfer hi a'i phadelli. Wrth inni ymestyn yn un rhes hir rhwng muriau llaith y ceunant a'r afon ewynnog, yn mwynhau'r cysgod rhag yr haul fel yr âi'r llwybr yn fwy creigiog a serth, roedd golwg ymgyrch wir bwrpasol arnom. Mae digon o geunentydd tebyg yng Ngwynedd ar raddfa lai o ran uchder y waliau, ond fwy o ran y lled rhyngddynt. Wedi cyrraedd y goleuni, fodd bynnag, roeddem mewn byd cwbl ddieithr ei blanhigion a'i hinsawdd. Nid yw'r *Puya Raimondi* bondigrybwyll yn tyfu yma ond y mae Quebreda Santa Cruz yn llawn, nid o goed drain gwynion a bedw, ond o lwyni bys y blaidd glas a melyn sylweddol, ac o goed tebyg i *buddleia*, y goeden fêl, gydag adar y su emrallt a glas yn gweu trwyddynt, a math o gnocell y coed melyn, a glöynnod mawr a mân. Erbyn diwedd y prynhawn, dyna gyrraedd llecyn gwersylla hollol wastad rhwng dau lyn, y naill – Ichikqocha – yn ddeiliach i gyd, a'r llall – Jatuncocha – mor glir â'r grisial. Cododd haid o wyddau gwylltion wrth inni nesáu. Heb fod ymhell, bugeiliai dau neu dri o hogiau yrr bychan o wartheg, bron 4000 o fetrau uwchlaw lefel y môr: cawsom ar ddeall fod *puma* wedi llwyddo i ladd buwch y noson cynt ond ni chawsom ninnau gip ar yr un anifail gwyllt, er bod y *vicuña* – sydd, ymhlith teulu'r llama, yn cyfateb i'r *gazelle* ymhlith antelopiaid – a'r arth sbectolog hefyd yn eu cynefin yma.

Drannoeth, roedd y llwybr yn fwy serth a garw o bryd i'w gilydd, a'r ddaear yn wlyb yma ac acw, er bod y rhan fwyaf o'r holl *quebreda* yn galed ac yn garegog, a'r olion afalansau cerrig ar hyd ei ochrau yn wyn yn eu noethni. Hyd yn hyn, ychydig gyfle a gafwyd i weld y mynyddoedd eira mawr uwchben llethrau cawraidd cwm mor gul. Tua hanner dydd, cynigiodd Hidalgo ein bod yn dringo'r llethr gogleddol di-lwybr er mwyn cyrraedd cwm crog, Quebreda Arweiqocha, sy'n arwain at droed Allpamayo. Mae'n debyg mai o'r gogledd-orllewin y mae Allpamayo ar ei fwyaf trawiadol: saeth unionsyth ddigyfaddawd fel Cnicht, ond ei fod yn rhew ac eira i gyd, a'r ffurfafen wrth ei gefn yn debycach o lawer o fod yn las. O'r de-ddwyrain, nid yw'r ddwy grib weladwy'n gytbwys. Cwyd y grib ddwyreiniol yn fwy graddol tuag at y copa na'i chymar, yn null Sgurr nan Gillean, mynydd harddaf Skye, o gyfeiriad Am Basteir. Ond y diwrnod hwnnw roedd y gorchudd eira mor llachar ag a welwyd erioed ar unrhyw fynydd ac roedd copa arall uwch, Kitaraju (tua 6040 metr o'i gymharu â 5947 Allpamayo, a dwy filltir yn nes atom) yn rhoi nerth deuawd i huodledd yr olygfa, fel pe bai Domingo ei hun yn ategu Carreras. Wedi troi ein cefnau o'r diwedd ar yr olygfa hon, wele Pavarotti o fynydd yr ochr arall i'r Quebreda Santa Cruz, Artesonraju (6025 metr) a chôr o byramidiau gwyn fawr is o boptu iddo. Yn 1957 yr esgynnwyd Allpamayo gyntaf, gan Almaenwyr, er bod Ffrancwyr wedi cyrraedd y copa gogleddol chwe blynedd ynghynt. Yn ystod ymgyrch Almeinig 1936 y safodd dynion gyntaf ar ben Kitaraju, Erich Schneider yn un ohonynt, awdur y clasur *Die Weisse Kordillere* (1935) sy'n cofnodi gorchestion ymgyrch Almeinig arloesol 1932, a roddodd gychwyn o ddifrif ar *andinismo* yn y cylch hwn. Bu'n rhaid aros tan 1963 cyn i Kitaraju gael ei esgyn o'n hochr ni, a hynny gan ymgyrch Awstralasaidd/Americanaidd yn cynnwys o leiaf un gŵr o Seland Newydd. Dim ond yn 1982 yr esgynnwyd yr olaf, mae'n debyg, o gopaon 6000 metr morwynol Yuraq Janka, a hynny gan ddau ddyn ifanc o Beriw ei hun. Nid oes sôn am esgyniadau brodorol cynnar o'r copaon rhew eithriadol fain ac anodd hyn; ym mynyddoedd sychach de-orllewin Periw, yr Ariannin a Chile, fodd bynnag, daeth hen ddigon o dystiolaeth i'r golwg fod yr Incas yn esgyn copaon cyn uched â 6700 metr ar gyfer seremonïau crefyddol a chladdedigaethau, a hynny o leiaf bedair canrif o flaen yr esgyniadau gwirioneddol uchel yn yr Alpau. Daethpwyd o hyd i gorff *guanaco*, anifail tebyg i'r llama, ychydig islaw crib copa Aconcagua ei hun. Pwy a ŵyr nad y rhew a'r eira a ddifethodd y dystiolaeth ar rai o fynyddoedd rhwyddaf Yuraq Janka hefyd?

Siom, ar un ystyr, oedd gorfod troi ein cefnau ar Allpamayo ar ôl cyrraedd crib un o'r mariannau ar draws y cwm, a thynnu lluniau gydag ambell goeden bysedd y blaidd enfawr yn y blaendir. Ni ellid, er hynny, dychmygu gwersyllfan mwy trawiadol na blaen Quebreda Santa Cruz y noson honno. Roedd Kitaraju ac Artesonraju yn dal yn amlwg i lawr y dyffryn; i'r gogledd llathrai'r cymhlethdod o raeadrau rhew chwyddedig a chefnydd eira trymion sy'n codi at gopa Rinrijirka (5810 metr) ac yn cuddio pump neu chwech o dyrau main ar Pukajirka, yr uchaf yn 6046 metr a'r lleill fawr is: Siapaneaid a lwyddodd i esgyn hwn gyntaf, yn 1961. Eto i gyd, ar flaen pellaf y dyffryn yr oedd pob llygad wedi ei hoelio fynychaf. Yma safai'r mynydd a wnaeth fwyaf o argraff arnom i gyd, Taulliraju (5830 metr), un tŵr triongl unigol nad oedd amheuaeth p'run oedd ei gopa uchaf, nac angen cofnodi is-gopaon o'i gwmpas, mynydd bys y blaidd o gyfieithu ei enw, enw yr oedd Duncan yn dal i ynganu drosodd a throsodd weddill y daith. Pan ffarweliais ag ef yn Heathrow, mynnai na fuasai'n llonydd ei feddwl nes dychwelyd i'w ddringo. Treuliais innau hydoedd hefyd yn bwhwman rhwng y pebyll a'r llyn wrth droed Taulliraju − Taulliqocha yn naturiol. Syllais yn wirion ar yr holl gewri yn eu tro ac yna dilyn cwrs y machlud. Er bod y diwrnod wedi bod yn glir a digwmwl, nid oedd fawr o goch yn y machlud hwnnw. Wrth i'r haul ddiflannu y tu ôl i amlinell Kitaraju, gan adael awyr biws gydag ymyl melyn yn y gorllewin, cyfrifais bump ar hugain o is-bigynnau duon yn gorymdeithio i fyny at ei gopa, a chynifer â dau ddwsin o wrychau bychain mewn dau fan gwastad ar y grib uchaf oll. Yna coronwyd uchafbwynt Taulliraju ag aur er bod gweddill ei dŵr eisoes yn welwlas uwchben lludw llwyd glasierau a fuasai gynt ar dân. Roedd hi'n oeri yn y cwm hefyd. Sleifiodd ffurf bigfain i lawr y llethr ar y dde: Mathilde yn cyrraedd adref ar ôl bod bron hanner ffordd at y bwlch uwchben – dyna oedd ei harfer ym mhob gwersyllfan os oedd digon o olau dydd ar ôl: dringo rhyw fryn cyfagos neu gael cip ar y llwybr ymlaen: nid oedd pall ar ei hegni, nac ar sirioldeb ei llygaid a'i llais. Erbyn meddwl, fel lleian y mynydd yr oedd pawb yn ei thrin.

Ciliodd glasierau Yuraq Janka gryn dipyn yn ystod y canrifoedd, gan adael creigiau llyfnion ar ongl isel mewn llawer man, fel Rhiwiau Caws yng Nghwm Idwal. Ar letraws i fyny tafelli noeth dadorchuddiedig fel hyn y mae'r hen lwybr yn esgyn at Punta Unión de Santa Cruz: mae *punta* yn gallu golygu copa yn Sbaeneg ond bwlch mul yw'r *punta* hwn er gwaethaf ei uchder o 4750 metr neu 15,580 troedfedd ac ymddengys fod y gair wedi ei dderbyn i'r Quechua. Wrth raddol godi, a nesáu at y glasierau, a gweld dannedd uchaf Pukajirka yn dod i'r golwg tua'r gogledd, anodd peidio â sefyllian byth a hefyd. Llinellau plwm hafnau rhew Taulliraju, llinellau llorweddol agennau'r glasier. Bargodion beiddgar, llachar dros bibau organ glas golau. Plygiadau gwynion sidanaidd. Dim moroedd o flodau fel a geir, weithiau, yn yr Alpau, ond ambell gefnder i'n tormaen glasgoch ni, yn ôl pob golwg, ambell gyfyrder i *androsace alpina* pinc yr Alpau uchel (ond yn fwy), ambell blanhigyn llachar fel y *rima rima* coch, sy'n ffefryn gan yr Indiaid, math uwchraddol o ddant y llew, llygad y dydd uchel-ael iawn gyda dail blewog, ac – yn is i lawr – flodyn mor ddwfn ei felyn â *sieversia montana* yr Alpau. A minnau mor swrth, roeddwn yn ymwybodol o'r angen i esgyn yn raddol rhag ofn y salwch mynydd a boena hyd yn oed bobl Quechua ei hiaith tan yr enw *soroche*. Onid oedd un o'r llawlyfrau yn rhybuddio: 'this circuit is a walk for the fit and the acclimatised. It can be breathtaking in the sad context of altitude sickness and pulmonary oedema . . . and the remedy of losing altitude quickly is sometimes impossible'? Oni ddarllenais am rai o'r trasiedïau? Er gwaethaf hyn, rhyfeddwn fod yna barti arall nid yn unig wedi dod i'r golwg y tu ôl inni ond hefyd yn debyg o'n goddiweddyd ar fyrder. Roedd eu lliwiau coch amlwg yn rhoi'r argraff mai dringwyr profiadol a pheryglus iawn oeddent, tywysyddion proffesiynol o'r Swistir efallai. Dychmygwch fy nghywilydd pan sylweddolais, wrth iddynt agosáu, mai tair merch ifanc o'r cylch oeddent, wedi eu gwisgo ar gyfer noson allan mewn cotiau neu smociau ysgarlad, sgertiau gleision, sgidiau meinion duon gloyw – meddyliwch mewn difrif – a hetiau gwellt mawr traddodiadol, a phob un yn gyrru mul trymlwythog. Hawdd deall sut y llwyddodd Jemima Nicholas a'i chyfeillesau i ddarbwyllo'r Ffrancwyr hynny mai milwyr oedd ar ar glogwyni Pencaer ers llawer dydd. Gwisgai'r hynaf drywsus tan ei sgertiau a siôl fawr binc ar ei chefn: dim ond traed y babi a ddaeth i'r golwg fel arfer a doeth hynny o gofio'r cyfuniad o haul ac uchder. Cydiai hefyd mewn bwced fach goch. Ceisiais dynnu sgwrs â hwy, a rhannu talp o Kendal Mint Cake, a chael ymateb llawn direidi. Pan ddaeth Inocencia heibio ar ei cheffyl i gyfieithu, sefydlwyd mai ar y ffordd i ffair Pomabamba tua 30 milltir – a thri bwlch – i ffwrdd yr oeddent, gyda llwyth o wlân i'w werthu, a chanu a dawnsio diwrnod cyfan yn eu disgwyl – *fiesta* yn wir. Nid anghofiaf byth eu gweld yn sefyll mor siriol a di-hid yn erbyn cefndir o gewri gwynion blaenllym glasierog, bydenwog. Ai fel hyn yr âi merched ifanc Penllyn draw dros Fwlch y Groes i Fawddwy ers talwm – a Mary Jones o Lanfihangel y Pennant dros Riw Gyriedydd i mofyn Beibl o'r Bala, yn bictiwr i gyd yn erbyn creigiau Pen y Gadair, uwchben moryd ryfeddol Afon Mawddach?

Myfi oedd yr olaf i gyrraedd pen y bwlch, drws cyfyng iawn yn y graig, a dibyn mawr yr ochr draw. Nid oedd golwg ar y tair hogan gyflym ac roedd Mathilde a Duncan wedi mynd i roi cynnig ar gopa creigiog cyfagos. Gwyliais yr *arrieros* yn tynhau llwythau'r mulod cyn eu gyrru trwy'r agen, gan blannu gwadn ym mhen-ôl pob un a betrusodd o flaen y dibyn, ac yna cydio'n dynn yn ei gynffon am sbel wrth i'r anifail ddarganfod y llwybr troellog, cul ar y chwith. Daeth eryr brown â blaenau gwyn i'w adenydd a smotyn gwyn ar ei gynffon i gael golwg arnaf – gwelais aderyn grwndi gwyrddlas hefyd yn agos i ben y bwlch. Yna crwydrais ychydig ar hyd y grib er mwyn cael y golygfeydd gorau o'r mynyddoedd mawr tua'r deau, gan sylweddoli ein bod yn uwch na thafodau glasierau Taulliraju ond bod yna is-gopa perffaith bigfain a phurwyn, Pucahirca arall, rhyngom a'r cawr ei hun. Gwrthododd ffilm fy nghamera â symud yn ei flaen ond tybed a oes yna fwlch arall ar y ddaear sydd mor rhwydd i'w groesi ac eto mor agos at wylltineb eithaf y mynyddoedd mwyaf? Wedi dilyn y mulod i'r ochr draw, mentro'r troelliadau diddiwedd ar i lawr a mynd heibio i gyfres o lynnoedd bychain (llynnoedd Moroqocha) a atgoffâi ddyn o Ardudwy, gadewais y llwybr, mynd yn syth i lawr y llethrau i gwm uchaf Waripampa, ac yn y modd yma gyrraedd ein gwersyllfan debygol o flaen pawb. Llechai hon rhwng meini enfawr yn union tan y wal ddu unionsyth tua 3000 troedfedd rhwng crib dde-ddwyreiniol Taulliraju a chopa eira mwyaf deheuol ei gadwyn, Pukaraju (5090 metr), copa cymharol rwydd y buaswn wedi hoffi rhoi cynnig arno pe buasai amser. Yma ac acw, gwelid tafod o lasier yn dod dros y wal, neu lafn bygythiol o graig fel petai'n gwegian, ond yn eu canol, yn ôl y map, yr oedd ein bwlch nesaf, Alto de Pukaraju (4650m; 15,098 tr.). Ymhell cyn cyrraedd y cwm, gwelais dri smotyn coch gyferbyn â mi ar lwybr serth y bwlch garw hwn, gan amau a allai hyd yn oed chwiorydd mor chwim â'r rhain gyrraedd unrhyw fath o loches cyn noswylio. Unwaith eto, Taulliraju a warchodai flaen y cwm a'r tro hwn gwelais holl raddfeydd lliw machlud coch, y naill yn dilyn y llall ar ei gorun. Bron nad wrthododd fod yn fynydd, chwedl Euros Bowen am Arennig Fawr wrth ei gwylio'n troi'n fflamau 'un hwyr o haf' yn Llangywair. O'r diwedd, diflannodd pob awgrym o liw: clafychodd yr eira gymaint nes bod sôn am wyn neu welw yn ormodiaith. Doedd dim amdani ond ffoi i'r babell a thynnu'r cwdyn cysgu tros fy mhen. A genau cul y cwm yn ein cuddio oddi wrth weddill dyffryn Waripampa islaw, roeddem wedi ein cau yn llwyr oddi wrth y byd. Ac eto roedd dyfroedd yr amryfal nentydd soniarus o'n cwmpas yn cychwyn ar eu taith i Afon Marañón, Afon Amazon a Môr Iwerydd.

Alto de Pukaraju

Drannoeth, barrug ar y pebyll ac ar y talpiau mawr o laswellt *ichu* o'u cwmpas. Anodd darganfod ôl llwybr o unrhyw fath i fyny'r wal ddu. Rhywsut, fodd bynnag, ni theimlwn mor ddieithr yn y llecyn hwn ag yn Quebrada Santa Cruz – nid bod y llecyn ei hun mor debyg â hynny i Gwm Idwal neu Gwm Glas Mawr, ond bod y lliwiau'n fwy llaith ac ansawdd y graig yn fwy sad a chyfarwydd.

Pa mor bell bynnag yw'r berthynas, mae blaen Waripampa yn gyfyrder o leiaf i'r darn caregog hwnnw o Gwm Glas Mawr lle cododd Gruff a minnau babell fechan yng ngolwg clogwyn Gyrn Las, pan oedd Gruff tua deuddeg oed, ac ar fin esgyn crib ogleddol y Grib Goch am y tro cyntaf cyn mynd ymlaen i ben yr Wyddfa. Nid oedd llwybr y bwlch mor wahanol â hynny i lwybr cul, creigiog yn Eryri chwaith: cefais lawer mwy o hwyl arno nag ar lwybr graddol Punta Unión ond buasai'n syn gennyf pe bai *burro* yn medru mentro o gwbl ar unrhyw beth gwaeth. Wrth esgyn, cawsom olygfeydd llai llethol ond mwy gogleisiol fyth o'r mynyddoedd mawr rhwng y ddau *quebrada* hir, gan gynnwys Chakaraju (6112 metr) sydd â statws tebyg i Matterhorn meinach, peryclach, anos, mwy cyfoes, ymhlith dringwyr, ac a esgynnwyd gyntaf gan Lionel Terray a'i barti yn 1956, saith awr ar hugain ar ôl gadael eu gwersyll uchaf. Yr un flwyddyn, Terray a'i gyfeillion a esgynnodd Taulliraju gyntaf hefyd: mae'r hanes yn ei gyfrol gampus, *Les Conquérants de l'inutile* (1961): pan gyhoeddwyd llawlyfr Ricker yn 1977, nid oedd unrhyw ymgais arall wedi llwyddo. Wrth i resi o gymylau gwynion godi a disgyn o gwmpas y cewri, gyda mawredd Huascarán yn dod i'r golwg weithiau tua'r deau, llawr melyn y cwm yn union oddi tanom, a'r haul yn cynhesu'r graig, bron na fuaswn wedi croesawu rhagor o ddringo. Crib ddigon main oedd y bwlch ei hun, fel y grib rhwng y Rhiniog Fach a'r Llethr. Ar ôl tramwyo'r grib am ychydig tua'r gogledd, aeth y llwybr i lawr yn ansicr ar letraws tuag at lyn crwn yng nghesail glasier trwchus un o is-gopaon dwyreiniol Taulliraju; holltai llafn du o graig ei rhaeadr rew cyn iddi gyrraedd y dŵr. Ni welais enw'r llyn ar unrhyw fap ond prin y gellid dychmygu cyfuniad gwylltach o ddüwch craig, disgleirdeb rhew a dwyster ffynnon nag a welsom o'n blaenau wrth ddisgyn yn ofalus. I gwblhau'r darlun, cododd cóndor yn sydyn o'r creigiau a hwylio unwaith o'n cwmpas cyn troi'n smotyn du pell ar amrantiad, a diflannu i gyfeiriad Taulliraju. Yma hefyd y gwelwyd medr yr *arrieros* ar ei orau: ni welais unrhyw arwydd o ystyfnigrwydd asyn. Wedi osgoi'r llyn, lledodd y llwybr a dechrau ein tywys i lawr i wlad newydd o fynyddoedd llyfnion melyn tebycach i gyffiniau Pumlumon nag i Gwm Glas Mawr. Wrth edrych yn ôl ar Taulliraju o ben llyn mawr Waqruqocha tuag amser te, roedd yn anodd credu ein bod wedi ymbellhau oddi wrth y glasierau mor sydyn. Erbyn hyn roedd yn dŵr main, unigol, breuddwydiol ac mor arwrol ag erioed. Yna daeth llethr serth â ni i lawr i lecyn gwastad tua 3700 metr uwchlaw lefel y môr, lle'r oedd tri chwm yn cyfarfod, a Chwm Tuktubamba (Tingopampa ar fap arall) – a arweiniai i'r gogledd at un o wynebau eraill Taulliraju – yn atgoffa dyn o Gwm Caseg braidd. Pum kilometr ymhellach i lawr, y mae Cwm Wicho, sy'n eich galluogi i amgylchu'r gadwyn a gweld ochr draw Allpamayo, wedi croesi tri bwlch allweddol arall. O weld pebyll yn codi ar lan Afon Cullupampa, rhedodd saith o blant tuag atom o fwthyn neu ddau tua hanner milltir i ffwrdd. Eisteddasant yn un rhes swil, llonydd, syfrdan yn ein hymyl, gan graffu ar bob symudiad, pob plentyn â het fawr ar ei ben, yr hogiau yn gwisgo rhai gwellt a'u hymylon yn troi i fyny, y genod rhai ffelt llwyd a'u hymylon i lawr, ac ambell un â *poncho* neu flanced am ei ysgwyddau. Yn wahanol i hogiau Cashapampa, nid oedd dim yn hy ynddynt, fel petai pellter anhygoel yr ochr yma i'r Andes oddi wrth ddinas, heb sôn am fôr, wedi eu hamddifadu o ysfa gystadleuol hunandybus yr oes. Cynigiwyd tipyn o dda-da iddynt ac yno y buont fel delwau nes iddi nosi.

Ein bwriad trannoeth oedd mynd ymlaen i weld adfeilion Yaino, dinas ddirgel gyn-Inca a godwyd ar fryn 4100 metr gydag un o'r golygfeydd gorau oll o gadwyn Yuraq Janka, yn ôl pob sôn. Gan fod ein mapiau'n anghytuno ynglŷn â lleoliad Yaino, a'i fod yn bellter maith yno ac yn ôl, a bod Hidalgo heb fod yn gyfarwydd â'r lle, ni wn a fuasem wedi dod o hyd i'w thyrau crynion. Fel sy'n digwydd mor aml, fodd bynnag, yn y llecyn tangnefeddus hwn y cawsom ein hunig fraw mawr yn ystod yr holl daith. Trawyd Duncan – a minnau'n rhannu pabell ag ef –

gan salwch difrifol yn y nos, salwch uchder, yn ôl pob argoel. Erbyn y bore, roedd ei wres yn amlwg uchel, ei anadlu'n swnllyd a'i feddwl yn niwlog, a dweud y lleiaf. Awgrymais wrth Hidalgo a Roberto y dylid ei glymu i'r ceffyl a'i gludo ar fyrder ar i lawr, ac i gyfeiriad unrhyw gymorth meddygol a oedd ar gael. Ond roedd unrhyw ddewis o lwybr yn gythreulig o anodd. I'r de, ar ein ffordd yn ôl i Huaraz, buasai'n rhaid croesi bwlch tua 4500 metr hyd yn oed i gyrraedd pentref cyntefig Colcabamba, heb sôn am y bwlch rhwng y lle hwnnw a Yungay, oedd yn nes at 5000. Ac er bod pentref Pomabamba yn swnio'n fwy sylweddol, ar ffordd weddol, ac o fewn tuag ugain kilometr, roedd ymhellach o lawer o ysbyty, a'i gyrraedd yn golygu esgyn bwlch 4000 metr. I'r cyfeiriad hwnnw, nid oedd llwybr o gwbl yn medru dilyn Afon Cullupampa i'r ffordd a'r dyffryn. Ar ôl peth trafodaeth rhwng ychydig Saesneg Hidalgo a'm hychydig Sbaeneg innau, dywedodd Hidalgo gyda phendantrwydd: 'Me Indian doctor'. Aeth ati i gymysgu cwpanaid o ffisig llysiau – gan gynnwys dail coca, synnwn i ddim – a llwyddodd i gael Duncan i'w lyncu bob diferyn. Sicrhaodd ni y buasai Duncan yn cysgu am gyfnod maith ac yna'n gwella'n llwyr. Roedd Roberto mor ddiymadferth â'r gweddill ohonom trwy hyn oll ac ni welwn unrhyw ddewis arall. Yn unol â'r bwriad, aeth Duncan i drymgwsg ymhen munudau. Anadlai'n hollol esmwyth yn awr. Cysgodd trwy'r dydd hwnnw a thrwy'r nos eto. Pan ddeffrôdd, roedd fel y gog a phrin y cofiai ei salwch. Ni allai ddirnad awgrym y dylai fenthyg ceffyl Inocencia. Aeth dros y bwlch nesaf mor dalog ag erioed.

Wrth warchod Duncan, daeth Hidalgo a minnau i ddeall ein gilydd yn well. Deallais ei fod wedi bod gyda Joe Brown ar yr ymgyrch a aeth i chwilio am awyren goll yn y Cordillera Huayhuash, awyren â llwyth o aur arni. Prin y gallai gredu fy mod yn byw o fewn ychydig filltiroedd i gartref Joe ac addewais ei gofio ato. Methiant fu'r ymgyrch, ond roedd gwrhydri Joe ar rew a chraig wedi gwneud argraff enfawr ar Hidalgo. Yn ddiweddarach, mynnodd ganu imi benillion Quechua a gyfansoddodd er anrhydedd iddo: roedd y geiriau 'Joe Brown' yn amlwg yn y gytgan. Cofiaf y gân bob tro y gwelaf y *poncho* gywrain, fraith a brynais gan ei chwaer, sy'n dal i weu yn y dull traddodiadol yn ei phentref uchel. Yn 1977, trefnodd Cymdeithas Tywysyddion y Swistir gwrs deufis i hyfforddi tywysyddion ym Mheriw. Pasiodd wyth o'r un ar ddeg – Hidalgo, mi gredaf, yn eu plith. Yn 1983, sefydlwyd comisiwn ar y cyd rhwng y gymdeithas Swisaidd a chymdeithas gyffelyb ar gyfer Periw (AGMP) er mwyn parhau gyda'r hyfforddi, darparu cyrsiau i ymwelwyr a sefydlu trefniadau achub. Bellach codwyd Casa de Guias ar ffurf chalet Swisaidd yn Huaraz.

Ar ôl cymryd tro yn cadw llygad ar Duncan, cafodd Mathilde, Roberto a minnau gyfle i gerdded i lawr yr afon i bentref bychan iawn heb enw ar y mapiau na chwaith gytundeb ar ei enw ymhlith y trigolion, a bwrw eu bod wedi deall ein cwestiynau. Ond roedd y trigolion wrthi'n dathlu Gŵyl Sant Antwn. Ar y ffordd, aethom heibio i un tyddyn tlodaidd iawn yr olwg, a thwr o blant carpiog a phrudd wrth y drws, ond ar y cyfan cawsom argraff o gnydau toreithiog a bodlondeb ar fyd. Roedd amryw yn tyrru tua'r pentref yn eu dillad gorau lliwgar, o dyddynnod bach yma ac acw ar y llethrau, fel cefn gwlad Cymru tuag 1850, efallai, cyn dechrau'r diboblogi mawr. Gwisgai'r merched yr hetiau mawr arferol, gwyn gan amlaf, ond y dynion hetiau duon gwastad Lladinaidd. Yn y pentref, ar silff uchel uwchben yr afon, gwelsom famau wrthi'n trin gwallt eu merched bach ar gyfer yr ŵyl. Roedd y rhan fwyaf o'r ychydig dai yn eithaf chwaethus, wedi eu codi ar ddwy ochr i gwrt, gyda phared blaen un adran ar agor i'r haul, ac oriel bren o flaen y llofft, a tho gwellt. Sylwais ar beiriant gwnïo mawr yn un o'r llofftydd. Gwelid ysgol ac eglwys yr ochr draw i gae enfawr, gyda physt pêl-droed mewn un gornel a llawer o friciau *adobe* (clai) mawr brown tywyll yn sychu yn yr haul o flaen rhywbeth tebyg i odyn galch fechan. Adeilad *adobe* oedd yr ysgol lom, ond un bren, amrwd iawn, do gwellt oedd yr eglwys, gyda thŵr pren pitw yn ei hymyl a rhubanau lliwgar o gwmpas y drws. Wedi inni aros cryn amser, ymffurfiai gorymdaith anffurfiol iawn gyda phen ac adenydd cóndor marw enfawr ar gefn yr arweinydd, a dyrnaid o offerynwyr y tu ôl iddo – telynor, ffidlwr, pibydd neu ddau, a drymiwr. Roedd gan un hen wraig benwisg dal, gywrain dan symbol mawr o'r haul, a gleiniau lu yn cuddio'i hwyneb. Gadawodd i Mathilde ei thrio, gan ymddangos wrth ei bodd. Nid oedd sôn am offeiriad: ymddengys fod offeiriaid Periwaidd yn ceisio osgoi eigion calon cefn gwlad ond daeth nifer draw yno o Ewrop a Gogledd America, gan gynnwys sawl Gwyddel. Tybiais mai'r ysgolfeistr oedd yr unig ddyn mewn siwt. Ef a eglurodd inni, mi gredaf, mai fferm fawr ar draws yr afon fyddai canolbwynt yr ŵyl: yno, gyda'r nos, y byddai'r canu a'r dawnsio. Roedd croeso inni ymuno, ond prin fod amser yn caniatáu, heb sôn am y tywyllwch a'r pryder ynghylch Duncan. Y cyfan a gawsom oedd canlyn yr orymdaith nes iddi droi oddi ar ein llwybr yn ôl, a rhyw fymryn o flas ar y miwsig Inca nodweddiadol. Bu'r awdures Wyddelig hynod, Dervla Murphy, yn *fiesta* mis Hydref Pomabamba ychydig flynyddoedd ynghynt, yn ystod ei thaith 1,300 milltir o Cajamarca i Cusco gyda'i merch naw oed a Juana'r mul: a barnu yn ôl ei disgrifiad hi, gŵyl fechan hynod ddi-alcohol oedd hon mewn cymhariaeth. Tyrrai'r plant o'n cwmpas ni yn hytrach na dilyn y band, ond heb unwaith ofyn am 'one biro' na thaffi. Uwchben, tan awyr las a mân gymylau gwynion, dringai grisiau gwyrdd, brown a melyn o gaeau bychain bach bron iawn at y cribau, lle'r oedd asennau'r creigiau'n caniatáu – roedd y plygiadau a achoswyd gan ryw rymoedd daearegol cynoesol yn unffurf amlwg ar hyd y mynyddoedd cam. Tystiai'r fath gaeau llafurus i ormes y frwydr i gael digon i'w fwyta yn y lle anghysbell hwn heb ffordd nac, hyd y gwelsom ni, olwyn. Ond roedd y bobl yn glên, yn ddiffwdan a, chwedl Edward Thomas am gefn gwlad Cymru ddiwedd y ganrif ddiwethaf, 'heb bapurau newydd'. Efallai eu bod yn byw yn rhy uchel i'r landlordiaeth greulon a ormesodd Indiaid Periw lle bynnag yr oedd y tir yn weddol dda, neu angen llafur mewn mwynfeydd, neu blanhigfeydd masnachol, gan gynnwys y caeau coca melltigedig y daeth Periw i ddibynnu arnynt mewn mwy nag un ystyr.

Prin y darllenais nofel mor ddirdynnol ag *El Mundo es Ancho y Ajeno* a gwblhawyd gan Ciro Alegría fel alltud yn Chile yn 1940, ac a gyfieithwyd i'r Saesneg fel *Broad and Alien is the World*. Hanes pentref Indiaidd traddodiadol cydweithredol – a digon dedwydd – ym Mheriw yn graddol golli popeth trwy raib a thwyll y landlord agosaf, llygredd cyfreithiol a dihidrwydd cyfundrefn hanfodol hiliol yw'r nofel, a hanes rhai o'r tyddynwyr a ddewisodd fynd yn weision cyflog, neu fynd ar herw. Ategir y rhan fwyaf o'r feirniadaeth mewn cyfrol ffeithiol y trewais arni, *The Andes and the Amazon, Life and Travel in Peru*, a gyhoeddwyd yn 1907 gan ryw C. Reginald Enock, peiriannydd o Brydain. Arswydus meddwl mai nofel am gyfnod a ddaeth i ben prin drigain mlynedd yn ôl yw hi, am ardal heb fod ymhell i'r gogledd o'n hardal ni. Bellach mae'r Quechua, iaith tua 5 miliwn o bobl yr Andes, yn ffurfiol swyddogol ym Mheriw ac yn dechrau cael lle mewn addysg, ond crynhôdd Harold Pinter holl agwedd gormeswyr y canrifoedd ar bum cyfandir yn ei ddramodig symbolig bymtheg tudalen ar hugain, *Mountain Language*: 'Officer – "You are mountain people. You hear me? Your language is dead. It is forbidden. It is not permitted to speak your mountain language in this place . . . You may only speak the language of the capital. That is the only language permitted in this place. You will be badly punished if you attempt to speak your mountain language in this place . . .".' Yn y bôn, dyna dynged y bobl hyn am bedair canrif a hanner. Eto i gyd, credai pentrefwyr Ciro Alegría eu bod yn disgyn oddi wrth y condoriaid.

Portachuela de Llanganuco

Bwlch digon rhwydd ond braidd yn faith oedd y bwlch rhyngom a Colcabamba, a newid braf i'r ceffyl a'r *burros*. Prin y buasech wedi meddwl eich bod yn yr Andes gan mor grwn oedd mynyddoedd fel Cerro Yanaquaqa, a guddiai Pukaraju gwyn, er inni groesi ysgwydd 4500 metr yn bur agos at ei gopa, a Cerro San Francisco tua'r dwyrain. O'r diwedd, daethom i lawr o'r llymder anghyfannedd at dir amaethyddol a blodau gwylltion tal a phentref bychan yng nghwm Ukupampa. Roedd hi'n awr ginio ar yr ysgol – un fwy sylweddol nag un San Antonio er bod y pentref yn fwy tlodaidd yr olwg. Llifodd y plant allan i syllu arnom, y rhan fwyaf yn rhy swil i wneud mwy na gwylio'r rhai siaradus o hirbell. Wedi rhannu tipyn o fwyd rhyngddynt, gan deimlo'n fawr ein braint, a chroesi pont, aethom ar i fyny eto nes dod i olwg y nant y buom yn gwersylla yn ei hymyl tan yr Alto de Pukaraju, hithau wedi prifio'n afon fawr a thyrchu'n ddwfn i'r ddaear ers derbyn dyfroedd glasierau dirifedi cryn ugain o fynyddoedd 6000 metr. Bellach roedd hi o leiaf dair mil o droedfeddi oddi tanom ar lawr glyn mawreddog. Arweiniai'r llwybr ar hyd y llethr ar y dde, gan ddisgyn yn raddol i gyfarfod yr afon a'i chroesi ger pentref Colcabamba, lle mae'r glyn yn culhau. Ar ôl holl hufen iâ'r mynyddoedd mwyaf, a llymder Bwlch Yanaquaqa (os caf ei enwi ar ôl y mynydd, gan ei fod heb enw ar y map) ni ellid meddwl am olygfa mor ecsotig â'r patrwm caeau ar lethrau llydan deheuol y glyn − ugeiniau o gaeau o bob siâp − brown, melyn, oren, coch ac, ambell waith, gwyrdd, yn ymestyn tua thair mil o droedfeddi at draed mynyddoedd mwyaf yr holl gylch, â'r rheini'n chwyddo i'r golwg ambell waith, yn gwbl anhygoel uchel, o'r tu ôl i len o gwmwl gwyn aflonydd.

A hithau'n hwyrhau, a ninnau'n gorfod codi'n gynnar drannoeth i gyfarfod ein bws, awgrymodd Hidalgo ein bod yn aros yn nhafarn Colcabamba yn hytrach na chodi'r pebyll. Ar un ystyr, roedd golwg Alpaidd ar Colcabamba, gyda phyramid gwyn wedi ei fframio gan greigiau pensyfrdan i fyny'r cwm, ac oriel bren flodeuog uwchben drws y dafarn. Gwahanol iawn oedd y cwrt bychan yng nghanol y dafarn, fodd bynnag. Yma, cawsom fwyta ein bwyd ein hunain wrth fyrddau a tho drostynt, ac ieir, cŵn, moch cwta, cathod ac un ceffyl gwyn yn gwmni. Unwaith, croesodd hen wraig o'r naill gornel lawn sbwriel i'r llall, gan arwain buwch denau ar dennyn allan trwy'r ffrynt. Trwy'r cyfan, eisteddai gwraig ifanc y dafarn ar gadair gyfagos yng nghanol ei phlant, yn wylo bob yn ail â sgyrsio gydag Hidalgo ac Inocencia. Newydd golli ei gŵr yr oedd, o beritoneitis mi gredaf − ni fu modd ei symud ef i ysbyty na galw meddyg i mewn. Un stafell wely fach lawr pridd heb ffenestr na lamp oedd i bump ohonom a barnwyd y buasai'n ddoethach defnyddio ein cudynnau cysgu ar y gwelyau. 'Fel hyn yr oedd hi yn Safwy pan oedd arloeswyr yr

Alpau wrthi gyntaf tua phedwardegau'r ganrif ddiwethaf,' y cyhoeddais wrth bawb, gan dynnu ar fy ngwybodaeth o glasuron mynydda. 'Doeddwn i ddim wedi sylweddoli eich bod yn ddigon hen i fod yno,' atebodd Duncan. Cynghorwyd ni i beidio â mynd allan i weld gweddill y pentref, a'r machlud, ar boen ein bywyd. Aethom i'n gwlâu yng ngolau fflachlamp a chloi'r drws yn dynn: ac yno y buom yn y fagddu nes iddi wawrio. Ond chwarae teg, ni chlywais yr un chwannen.

Ben bore, cychwynasom i fyny'r llwybr serth i Vaqueria, tua 2,000 o droedfeddi'n uwch, a'r pwynt agosaf ar ffordd newydd orchestol, os di-fetal, o Yungay, ar draws bwlch uchel y Portachuela de Llanganuco (4737 metr) i ddyffryn y Rio Shiulla. Yn 1979 y cyrhaeddodd y ffordd ben y bwlch ac erbyn hyn mae'n siŵr ei bod wedi ei gorffen. Nid oedd Roberto'n ffyddiog na fuasai'n rhaid inni gerdded cryn bellter eto ond dyna lle'r oedd y bws bach gwydn yn ein haros. Wrth inni agosáu ato, daeth gwaedd o'r tu ôl a rhuthrodd dau hogyn ifanc atom â'u gwynt yn eu dyrnau, o gyfeiriad Waripampa, pentref uchaf y cwm o'r un enw. Dywedodd y cyntaf wrthym mewn Saesneg da fod lladron gyda gynnau newydd ddwyn y rhan fwyaf o offer ac eiddo eu grŵp a bod dim modd iddynt fynd yn eu blaenau. Yn ffodus, roedd ef a'i gyfaill gryn bellter y tu ôl i'r gweddill a ffodd y lladron pan ddaethant hwy i'r golwg ar ael bryn. Cytunodd y gyrrwr i roi lle iddynt ac yn y man cyrhaeddodd eu pedwar cydymaith a golwg wedi dychryn arnynt, ac un o'r merched yn ei dagrau o hyd. Pobl ifanc o Israel oeddent, heb arweinydd lleol na mulod. Clywsom wedyn fod parti o Czechoslavakia wedi colli popeth o werth yn yr un modd wrth wersylla wrth droed y Punta Unión, y noson ar ôl inni ei groesi. Yr adeg honno, nid oedd sôn am derfysgwyr gwleidyddol yn y cylch hwn – ychydig flynyddoedd yn ddiweddarach y saethwyd bachgen o Glwyd heb fod ymhell o Huaraz, dim ond am ei fod yn ymwelydd. Mae lladrata pen ffordd yn hen draddodiad yno, fodd bynnag, ac ar hyd y canrifoedd gorfodwyd sawl Indiad neu *mestizo* (gŵr o waed cymysg) i fyw ar herw ar ôl colli ei dir, yn hytrach na derbyn iau'r gormeswyr. Hyd yn oed yn y Callejón de Huaylas. Yn 1885, ar ôl i Pedro

Pablo Atusparia a thri ar ddeg arall o feiri'r dyffryn gael eu sarhau a'u carcharu am brotestio yn erbyn gordrethu a llafur gorfodol, llwyddodd y tyddynwyr i oresgyn Huaraz, rhyddhau'r meiri, bwrw allan swyddogion y llywodraeth a'r cyfoethogion, a rheoli'r cylch am fisoedd cyn i'r fyddin ei ail feddiannu – a *mestizos* Sbaeneg eu hiaith, yn hytrach nag Indiaid pur, yw'r rhan fwyaf o drigolion y dyffryn. Mawrygir enw Atusparia o hyd: cyn gwybod pwy ydoedd, prynais gasét o ganu gwerin gan fand o Huaraz o'r enw 'Grŵp Ancashaidd Atusparia' – enw'r dalaith yw Ancash. Cofiwn fel y mae parchusion Dyfed heddiw yn mawrygu enw'r Beca yr oedd ar radicaliaid fel David Rees, Llanelli, ac S.R. a Hiraethog gywilydd ohoni! Nid oes gan yr Indiaid ryw Arthur yn cysgu mewn ogof yn barod am yr alwad i'w rhyddhau, ond credant fod yna darw gyda chyrn aur yn gwarchod trysor mawr a guddiwyd rhag y Sbaenwyr mewn llyn mynydd, er mwyn iddynt godi eto. Y Sbaenwyr, wrth gwrs, ddaeth â theirw i Dde America ond gwnaethant y fath argraff ar y Incas nes iddynt gredu mai dyna oedd eu draig chwedlonol hwy, yr *amaru*.

Cwm cyfyng, graddol ei oleddf, cymharol ddinodwedd, a di-ben-draw yw Quebreda Moroqocha. Rhaid cyfaddef nad edifar gennyf mai bws a'n cludai ar ei hyd. Soniai Olaf eisoes am ei deithiau nesaf – Kilimanjairo, ac yna gwersyll sylfaen Chomolungma (Everest): byddwn yn derbyn cardiau oddi wrtho yn clodfori gwahanol gadwyni mynydd ym mhellafoedd byd am flwyddyn neu ddwy eto. Prin y byddai Mathilde wedi cyrraedd adref nes anfon cerdyn ataf o'r Pireneau: o Belize y daeth y cerdyn Nadolig, ar y ffordd i weld adfeilion Maya yn y fforest forwynol ac ymarfer plymio scwba rhwng y clegyrau cwrel. Ni ddaeth gair oddi wrth Duncan, ond synnwn i ddim na fu'n sefyll ar gopa ei hoff Taulliraju erbyn hyn. Ar ôl yr holl glebran am yfory, cymaint mwy ein syndod wrth gyrraedd pen y bwlch. Ar y chwith, ar amrantiad, dwy gromen wen Huascaran ymhell bell uwchben y cymylau (Norte, y mwyaf gogleddol yn 6654 metr a Sur yn 6788, sef 22,205 troedfedd) a thŵr main Chopikalki (6354 metr) ychydig i'r gogledd-ddwyrain; y cymylau oriog yn agor o bryd i'w gilydd i ddangos noethni eu cyrff yr holl ffordd lasierog i lawr o'r ddau gorun amhosibl uchel i'r llynnoedd hir wrth y sodlau, bron 3000 o fetrau neu 10,000 o droedfeddi islaw. Bedair blynedd ynghynt, roedd chwech aelod o Glwb Mynydda De Cymru wedi esgyn Huascarán Sur yn y dull ysgafn, Alpaidd, pedwar ar hyd y llwybr cyffredin, a dau – Mike Harber a Tim Oliver – ar hyd y grib dde-orllewinol anodd, gan gysgu allan ddwywaith mewn *bivouac* ar y grib cyn dod i lawr y llwybr cymharol rwydd. Dyma ail esgyniad y grib yn ôl pob tebyg, ond cafodd yr Awstriaid a'r Americanwyr a lwyddodd yn 1973 gymorth gwersylloedd uchel go iawn a rhaffau sefydlog: nid aethant ymlaen o gopa'r grib (ar y grib dde-ddwyreiniol) i gopa Huascarán ei hun chwaith, pe bai o bwys. Fel sy'n digwydd yn rhy aml, mae amheuaeth ynghylch esgyniad cyntaf Huascarán Norte: hawliodd Americanes o'r enw Annie Peck a dau dywysydd Swisaidd eu bod wedi llwyddo yn 1908. Yn ddiweddarach, gwadodd y tywysyddion bod Annie wedi mynd yn uwch na'r bwlch rhwng y ddau gopa ond, yn ôl Evelio Echevarria, awdurdod ar hanes mynydda ym Mheriw, mae ei ffotograffau a'i disgrifiadau o'i phlaid ac yn haeddu rhagor o astudiaeth. Hyhi a gododd faner gyda 'Votes for Women' arni ar un o gopaon Coropuna, llosgfynydd tua 6400 metr yn neheubarth Periw! Nid oes amheuaeth ynglŷn ag esgyniad cyntaf Sur, yr uchaf: Schneider a phedwar aelod arall o dîm Almeinig 1932 a'i cipiodd mewn pum niwrnod, gyda thri gwersyll yn uwch na'r marian. Reginald Enock, awdur *The Andes and the Amazon*, a roddodd y cynnig cyntaf ar y mynydd i gael ei gofnodi, hyn yn 1903, ond nid aeth yn uchel iawn.

Nid Huascarán a'i gymdeithion a hoeliai ein sylw i gyd: ar y dde, codai rhes o wyth neu naw copa rhwng 5700 a 6400 metr, gyda Huandoy o'n blaenau bron, a Chakaraju ar fin dod i'r golwg eto i'r gogledd. Yswn am ryddid oddi wrth y bws erbyn hyn, nid yn unig oherwydd aruthredd unigryw yr olygfa ond hefyd oherwydd cyflwr y ffordd a'i throelli parhaus uwchben y dibyn mwyaf a heriodd ffordd erioed. Mor gyfyng oedd ongl rhai o'r corneli, yn wir, nes bod y bws yn methu â mynd o'u cwmpas ar y cynnig cyntaf ac yn gorfod mynd mor bell ymlaen ag y bo modd ac yna ar yn ôl, dro ar ôl tro. Gweddïwn fod y gyrrwr yn gofalu ei fod wedi gwahaniaethu rhwng y naill gêr a'r llall cyn dechrau mynd yn ôl o'r dibyn: ceisiwn anghofio'r troeon prin ond pendant pryd y methais innau, trwy ryw amryfusedd anesboniadwy, gael y gêr yr holl ffordd drosodd cyn dechrau bacio. Modurais dros fylchau uchel yn yr Alpau, y Pireneau, Wyoming a Montana, Nepal a Deheubarth Affrica ond dyma'm profiad gwaethaf ers bod mewn bws yn troelli uwchben y ceunant rhwng Samnaun a dyffryn Afon En, a'r gyrrwr ag un llaw yn unig ar y llyw, potel yn y llaw arall, a dau deiar ar fin eithaf y dibyn. Y tro hwn, trwy drugaredd, nid oeddem wedi colli fawr o uchder cyn cael gwaredigaeth. Wele dirlithriad sylweddol ar draws yr holl ffordd, a hogiau'r lôn – chwarae teg iddynt ym mhob gwlad, a gwareder hwy rhag preifateiddio: maent wedi achub fy nghroen i a'm teulu droeon mewn llawer sir, canton a thalaith, hyd yn oed ar noson Nadolig – prin wedi dechrau ei glirio gyda help math o Jac Codi Baw. Nid oeddent yn disgwyl y buasai ffordd trwodd am awr neu ddwy. Bachwyd yn afieithus ar y cyfle i hedfan ymlaen ar droed, gan obeithio y buasai'r gwaethaf drosodd cyn i'r bws ein goddiweddyd. Gan dorri llawer cornel, a ffoi rhag aml i dirlithriad bychan yn llamu tuag atom o gyfeiriad y Jac Codi Baw, dyna ddiweddglo annisgwyl hyfryd i'n taith, tan fendith Huascarán a'r haul a'r awyr denau, bur, a'r blodau'n dod i fyny i'n cyfarfod, a gwyrddlas y llynnoedd tan eu creigiau cawraidd. Rhai oriau wedyn, cawsom deithio'n gyfforddus heibio i gaeau india corn a haidd toreithiog y llethrau isaf, a'r ffermwyr – y *campesinos* – yn eu hetiau gwyn ffelt a'u hetiau gwellt melyn yn smotiau lliwgar yn eu canol.

Mor agos yw nefoedd ac uffern! Milwr Inca ifanc oedd yr Huascar gwreiddiol. Pan ymwelodd ag Yungay, y dref a gladdwyd wedyn gan y ddaeargryn, syrthiodd mewn cariad â Huandi, merch pennaeth y cylch, a oedd yn elyn i'r Incas. Rhoddodd hwnnw waharddiad ar unrhyw briodas. Ffodd y ddau gariad i'r mynyddoedd ond cawsant eu dal. Clymwyd hwy i greigiau a'u gadael i rewi i farwolaeth. Dyna sut y ffurfiwyd Huascaran a Huandoy: dagrau'r ddau gariad yw'r holl raeadrau sy'n treiglo i lawr eu llethrau. Cawsant ddigon o achos wylo dros yr Indiaid, dros Yungay, dros Beriw gyfan, fyth oddi ar hynny.

Nodyn ar orgraff ac ystyr enwau lleoedd

Rhannwyd Quechua gan yr ysgolheigion yn ddwy brif dafodiaith, gydag amryw byd o amrywiadau; Quechua 1 yw iaith gynhenid ardal Yuraq Janka ond Quechua 2, iaith Cusco, oedd iaith swyddogol yr ymerodraeth Inca. Yn absenoldeb unrhyw lythrennau Inca fel y cyfryw, arferwyd yr orgraff Sbaeneg i gofnodi'r iaith hyd yn ddiweddar, ond nid oedd hyn yn medru cyfleu rhai cytseiniaid unigryw. Mewn cynhadledd yn La Paz yn 1954, cytunwyd ar orgraff ffonetig i'r iaith ac, yn 1972, cyhoeddwyd gwyddor safonol gan Ganolfan Ieithyddiaeth Gymwysedig Prifysgol San Marcos, Lima. Yn y dull yma y sgrifennwyd enwau lleoedd Quechua yr ysgrif hon, heblaw am ddyrnaid a ddaeth yn adnabyddus y tu allan i Beriw yn yr orgraff Sbaeneg, gan gynnwys Huayhuash Huascarán, Huandoy ac Huaraz o'u cymharu, dyweder, a Waripampa: ond yr un yw ynganiad yr *hu* Sbaeneg a'r *w* Quechua a Chymraeg; yn Quechua, yngenir *h* megis yn *hawdd* yn y Gymraeg, a'i hepgor yn llwyr yng ngogledd yr ardal; fel ein *h* ni yr yngenir *j* fodd bynnag, gan ei hepgor hi hefyd tua'r gogledd – fel Iwrac Hanca neu Anca y buasem yn cyfleu Yuraq Janka yn ein horgraff ni ond mewn gwirionedd mae'r *q* Quechua yn fwy gyddfol na'n *c* ni a'u *k* hwy. Er bod *ll* yn cael ei ynganu fel *i* Cymraeg yn Sbaeneg, fel y *l* ym *miliwn* yr yngenir ef yn Quechua. Mae'n amlwg hefyd fod cwestiynau tebyg i 'Sawl c sydd yng Nghricieth?' yn poeni trigolion ambell dref ym Mheriw.

Enwau Quechua am fynydd yw *jirka* a *raju*, ond mae'r olaf yn gallu cyfleu glasier hefyd. Yn Sbaeneg, *nevado* sy'n cyfateb iddynt ac enw Sbaeneg yn unig sydd gan ambell gopa fel Nevado Santa Cruz. Llyn yw ystyr *qocha*, gan ynganu'r *ch* megis yn y Saesneg *church; mayo* neu *mayu* yw afon. Gair Quechua am ddôl neu wastadedd yw *pampa*, tir âr yw *chakra*, coch neu frown yw *puka*, du yw *yana* a gwyn yw *yuraq*.

Ar Ben Huayna Picchu

Madre de piedra, espuma de los cóndores*
(Pablo Neruda)

Yn ieuenctid rhyw ddydd perffaith o Fehefin, dan fendith bysedd
blodau lemwn yr awel gynnar, cymerais hynt i ben Huayna
Picchu, a chyda mi gamera, er mwyn cyflawni a chofnodi hen
uchelgais. Pwy na sylwodd ar y corn rheinoseros hwnnw o graig
bigfain yng nghefndir pob llun o Macchu Picchu, dinas goll hen
ymerodraeth yr Inca, na ddaeth i sylw'r byd tan 1911 – ysgerbwd
cyflawn, glân, rhyw chwe chanrif oed, ar gefnen uchel serth wedi
ei hamgylchu gan dro pedol Afon Urubamba, lle mae fforest is-
drofannol blaenau pellaf Amazon yn ymgordeddu am ragfuriau'r
Andes, yn neheudir Periw? Pwy na ofynnodd a yw'n arferol i
feidrolion llwfr esgyn i'w phen, o leiaf heb offer dringo? Cefais

---

* Cyhoeddwyd cyfieithiad Harri Webb o gerdd Neruda, *Alturas Macchu
Picchu*, 'Bannau Macchu Picchu', yn *Barn*, 230 (Mawrth 1982). 'Mam meini,
ewyn condor' yw ei fersiwn ef o'r dyfyniad uchod ohoni, a 'Deuaf i lefaru
dros eich genau marw' o'r dyfyniad ar ddechrau pedwaredd ran yr ysgrif hon.
Cyhoeddwyd fersiwn Saesneg gan Nathaniel Tarn, ynghyd â'r gwreiddiol,
yn *The Heights of Macchu Picchu* (Jonathan Cape, 1966).

hyd i ateb anarferol o addas cyn cychwyn oddi cartref: megis yn yr hen stori am ymyl y Ddaear, bu Cardi yno o'm blaen. Yn ei gyfrol *Sajama*, cynhwysodd T. Ifor Rees nid yn unig ffotograff godidog o adfeilion Macchu Picchu 'fel y gwelir hwy o gopa Huayna Picchu' ond hefyd ddisgrifiad o esgyn gyda'i ferch Morfudd, yn y flwyddyn 1946, ac yntau'n llysgennad Prydain i Folifia. Rhyw dair blynedd wedi hynny, gallwn fod wedi holi'r ffordd ganddo yn ystod sgwrs nad anghofiaf fyth, ar ôl cyfarfod yn y Llyfrgell Genedlaethol, pan argraffodd arnaf y pwysigrwydd o sgrifennu Cymraeg. Fel y cofiwn, arferai dau o'i blant ddod am de i'n tŷ ni ambell waith, pan oedd Ceredig yn ddisgybl i'm tad yn Ysgol Ramadeg Dolgellau, a Nest yn Ysgol Dr Williams; wn i ddim a fu Morfudd yno hefyd. Tybiodd Ifor Rees yntau i gychwyn na ddylid dringo Huayna Picchu heb raff, ond cynigiodd gofalwr y safle eu tywys i'w phen, os nad oeddent yn dueddol i'r bendro, ac os oeddent yn barod i ddringo 'fel cathod' ym mhen uchaf y llwybr. Wrth groesi'r cyfrwy main rhwng y pinacl a gweddill y gefnen, llamodd geiriau Pantycelyn i'w gof:

> Cul yw'r llwybr imi gerdded,
> Is fy llaw mae dyfnder mawr.

Arswydaf wrth feddwl cymaint y dibynnodd wedyn ar gynhorthwy prysgwydd ac 'aml dusw' o laswellt ond, wedi tramwy 'un lle gwir beryglus' ar estyllen 'o ryw bymtheg modfedd o led', cyraeddasant 'fath o gromlech a ffurfiai bwynt uchaf y mynydd' a threulio 'awr o hyfrydwch pur' ar ei chorun.

Ymhell cyn dyddiau'r masnacheiddio, roedd angen tipyn o galon ar Ifor Rees a Morfudd i ddringo Huaynu Picchu, rhyw 1,200 o droedfeddi uwchben y gaer, 3,000 uwchben yr afon, a 9,000 (2743m) uwchlaw lefel y môr, a phwy a wyddai pa fath o nadredd a thrychfilod yn llechu yn y prysgwydd. Bellach, mae'r rhan fwyaf o'r llwybr yn igam-ogamu i fyny'r pared de-orllewinol ar graig gymharol noeth neu ar hen risiau carreg yr Inca. Yn agos i'r copa, mae olion ychydig o derasau culion – prin y buasai'n werth tyfu cnwd yma: un ddamcaniaeth yw mai gerddi blodau addurniadol oeddent. O ran techneg dringo, mae'r ysgol droellog o lwybr yn haws na rhannau llyfnaf crib ogleddol Tryfan ond y mae'n llawer mwy cyson agored i'r dibyn nag unrhyw lwybr cerdded yn Eryri, gydag Afon Urubamba, yn hytrach na'r gefnen, yn union oddi tanoch. Cewch yma gryn dipyn o wefr dringfa graig, felly, heb fawr o'r cyfrifoldeb. Yr unig broblem yw penderfynu lle yn union mae'r llwybr yn cychwyn ar i lawr. Ond cyn ichi ddechrau dringo, mae yna rybudd ynghylch natur y llwybr, a llyfr ichi gofnodi eich amser cychwyn ynddo, a chadarnhau eich bod wedi dychwelyd.

Aros yn y gwesty bychan chwaethus ychydig yn is na'r gaer yr oeddwn y noson cyn esgyn y graig. Mae'n rhaid fy mod wedi bod yn brolio braidd yn y bar oblegid gofynnodd Canadiad cryn dipyn yn iau ac ystwythach na mi a fuaswn yn ei dywys ef i'r copa. Cychwynasom gyda'r wawr, heb weld enaid byw ar i fyny nac ar i lawr. Rhwng fy awydd innau i ymddangos yn weddol atebol, a'i awydd yntau i gadw'n dynn ar fy sodlau, rhyw ddeugain munud y buom wrthi, sy'n well o lawer na'r awr i awr a hanner a nodir yn llawlyfr Frost, ond ymhell iawn o fod yn record − dau funud ar hugain, o'r cyfrwy yn ddiau, yn ôl *The Rough Guide to Peru* (1985) gan Dilwyn Jenkins − Cardi arall, tybed? Roedd hen ddigon o amser i eistedd ar y copa heb golli brecwast, er ei bod yn anodd i ddau ymlacio ar y pigyn ei hun. Anaml, ar achlysur fel hyn, y byddaf yn mwynhau'r profiad cystal â'r cofio − neu'r edrych ymlaen. Y tro hwn, fodd bynnag, roedd y safle mor syfrdanol, yr awyr mor iach a'r golygfeydd pell ac agos mor annisgwyl eang a dwfn, nes ei bod yn amhosibl ailgyfleu'r awyrgylch. Dysgais yn gynnar ar Foel y Faner a Moel Cynwch a Moel Isbri a Phared y Cefn Hir nad oes hafal i gopa isel yng nghyffiniau copaon mawr am olygfa. Yma roeddwn yng nghanol cylch o fewn cylch, dimensiwn ar draws dimensiwn, o agennau dyfnion, o fwtresi gwyrdd-tywyll tal fel perthi nadd, o is-fynyddoedd cam a hyf ac o byramidiau gosgeiddig, llachar, glasierog fel Salkantay (6263m) a Nevada Veronica (5900m).

Yn union wrth ein traed, ymledai caer Macchu Picchu − cynllun yn hytrach na model − tua chant o derasau, wedi eu cysylltu â grisiau a ffosydd cywrain, y rhai isaf a phellaf ar gyfer cnydau neu stordai, gyda'r cnewyllyn ar gyfer tua 200 o dai annedd, a'r palasau a'r temlau yn nes at grib y gefnen. Ar y grib ei hun gosodwyd yr *intihuatana*, maen hir lluniaidd o'r math a welir ym mhob canolfan Inca i ddynodi, â'i gysgod, ddyddiadau arwyddocaol fel Calan Mai: yn ôl y gred arferol, allorau ydynt ar gyfer addoli'r haul ac yn sicr y mae maen llog Macchu Picchu yn wyneb haul a llygad goleuni y rhan fwyaf o'r flwyddyn. A minnau wedi derbyn y Wisg Wen yn Eisteddfod Dyffryn Lliw, teimlwn yn anesgusodol o nawddoglyd yn ei ymyl: pwy a ŵyr nad oedd ar yr un donfedd gyfrin â Chôr y Cewri a Chaer Meini ac aml i hen garreg Gymreig ganrifoedd yn hŷn nag ymerodraeth meibion yr haul? Yn naturiol, amddifadwyd pob adeilad yma o'i do gwellt priodol, ac mae'r drysau a'r ffenestri trapesoid yn ychwanegu at unffurfedd a fuasai'n llethol heb afradlondeb y safle. Wrth edrych dros y llecyn mwyaf llydan, am gae pêl-droed y meddyliai dyn, ac yn wir gwelais ddyrnaid o hogiau bach – meibion y gofalwyr, mae'n siŵr – wrthi'n cicio pêl yno ymhlith ambell *llama* ac *alpaca*. Ond adferir y rhamant os dilynwch gyfres o bistyllau a baddonau ac ogofâu bychain sy'n rhedeg drwy ganol y terasau. Nid rhamant yn union, chwaith: treflan glasurol lem yw Macchu Picchu, muriau llwm, golau, grymus o gerrig trymion conglog yn cynnal ei gilydd i drwch y blewyn, heb le rhyngddynt i lafn cyllell na llygedyn o olau, yn y dull Inca diaddurn, dihafal na welwyd ei debyg na chynt na wedyn. Roedd yn rhaid treulio bore arall yn eu plith. Erbyn inni gyrraedd i lawr, roedd gwraig Ed y Canadiad yn mwynhau jam cartref wrth fwrdd brecwast yn yr haul, yng nghwmni Iseldires ifanc sionc o'r enw Wilhelmina.

ૐ

They grabbed what they could get for the sake of what was to be got. It was just robbery with violence, aggravated murder on a great scale ... (Joseph Conrad)

Nid gweld gweledigaethau mohonof ar ben Huayna Picchu ond,

yn hytrach, dianc i awyr iach gynefin oddi wrth freuddwyd, a honno'n freuddwyd y tu mewn i hunllef. Yr hunllef yn gyntaf: ar ôl cyrraedd maes awyr Lima, roeddwn mor gysglyd wedi hedfan trwy'r nos nes fy mod hanner ffordd at ganol y ddinas cyn cofio nad oeddwn wedi casglu fy mhecyn. Yn ôl y rhybuddion di-baid a roddir ichi rhag lladron ym Mheriw, ac ym mhob llawlyfr ar Beriw – ac yn ôl profiad pob ymwelydd arall a gyfarfûm – nid oeddwn yn disgwyl ei weld eto. Ond dyna lle'r oedd, ugain munud yn ddiweddarach, yn dal i chwyrlïo o gwmpas yr olwyn fawr ar ei ben ei hun. Wedi cyrraedd y gwesty, fodd bynnag – hen westy mawr nobl ac effeithiol y Gran Bolivar, ar y Plaza San Martin – sylweddolais ei fod megis dan warchae, a'r strydoedd a'r pafinoedd o'i gwmpas yn llawn o gyfnewidwyr arian anghyfreithlon a phedleriaid a begeriaid a phentyrrau o sbwriel a hen fysys bregus rhydlyd gorlawn yn nhraddodiad gorau'r Trydydd Byd. Y tu mewn, ymdebygai'r Bolivar i'r Métropole ynghanol Brwsel. Yn y Métropole, buaswn wedi ymlacio wrth un o fyrddau'r pafin: yma, dim ond trwy wydr ffenestri uchel y Rotunda y gallech fentro gwylio'r byd yn mynd heibio. Nid oes modd ymweld â dinas o bwys heb i Jan Morris fod yno o'ch blaen i'w phortreadu'n berffaith: mae ei hysgrif ar Lima, a sgrifennwyd ymron chwarter canrif cyn f'ymweliad innau, ymhlith ei mwyaf hwyliog, ond gwelodd blant a moch yn chwilio am damaid yno, ochr yn ochr, yng nghanol sbwriel *barriaras* San Cristobal. Dim ond ymhlith rhyfeddodau'r amgueddfa archaeolegol y gallai ei chydwybod Gymreig anghofio fod 70 y cant o fabanod Indiaid Periw yn marw yn ystod eu plentyndod cynnar. Hyd yn oed yn 1963, roedd arwyddion bod oglau a thrueni'r slymiau ar gyrraedd stryd fawr *picaresque* y Jirón de la Unión ac mae'n amlwg fod pethau wedi gwaethygu'n enbyd ers hynny wrth i filoedd o Indiaid ffoi o'r wlad i'r ddinas rhag tlodi affwysol a brawychu creulon y terfysgwyr a'r fyddin. Bellach, yn y Plaza de Armas, y gwnaeth ei adeiladau cyhoeddus a'i ffynnon a'i Eglwys Gadeiriol gydnerth y fath argraff ar Jan Morris, roedd milwyr croch yn eich symud ymlaen cyn gynted ag y byddech yn dechrau sefyllian. Dim ond mewn ambell lecyn bychan fel patio andalwsaidd y

Torre Tagle y gallech gredu fod Lima unwaith yn cael ei chyfrif ymhlith dinasoedd ceinaf y Byd Newydd.

Nodais mai Ca-i-w oedd ynganiad 'Callao', ond nid oedd gennyf galon i ymweld â'i dociau, er cof am genedlaethau o forwyr Gwynedd, a Thwm Pen Ceunant yn morio am ei fywyd saith mis oddi yno, a'r diawl o dan yr hatsys – na chwaith â Miraflores, maestref grachach ymhlith y mwyaf moethus y tu yma i Beverley Hills, yn ôl pob sôn. Roedd chwyddiant yn rhemp, a'r llywodraeth dan lach Banc y Byd am gyfyngu ar ad-dalu dyledion tramor enfawr. Roedd y trefi sianti bocsys, bambŵ a phlastig ar gyrrau'r ddinas yn ymestyn am filltiroedd o boptu San Cristobal erbyn hyn, a llawer o'u trigolion yn byw ar flawd pesgi ieir, a dŵr carthffoslyd Afon Rimac, er bod un cyn-weinidog cyllid wedi cwyno, 'nid ydynt yn cael *chicken-feed* i fwyta yn rheolaidd'. Ategid pob argraff gan yr ystadegau. Roedd y cyfartaledd o blant heb ddigon o fwyd yn yr ardaloedd dosbarth gweithiol wedi cynyddu o 24 y cant i 36 y cant yn ystod y degawd hyd 1983. Roedd lefel calorïau bwyd beunyddiol tlodion Periw wedi disgyn i 1,500 ar gyfartaledd, ac i 450 yng nghyffiniau Ayacucho yn yr Andes. Doedd dim rhyfedd yn y byd fod tanciau ar bob cornel stryd yng nghanol Lima, a milwyr o flaen pob banc yn y wlad, a bod teithwyr wedi eu gwahardd rhag mynd ar gyfyl rhanbarth Ayacucho, heb sôn am Vilcabamba, yr ardal fynyddig y dyheuwn am fynd i'w chanol, wrth graffu y tu draw i burdeb eira Salcantay, o ben Huayna Picchu. Ayacucho yw cadarnle Sendero Luminoso – Llwybr Llachar – mudiad terfysgol Maoaidd, y cryfaf a'r mwyaf milain ym Mheriw; er bod pethau wedi tawelu rhywfaint ers i'w arweinydd, Abimael Guzman, cyn-ddarlithydd mewn athroniaeth, gael ei ddal ym Medi 1992, lladdwyd tua 15,000 o bobl yn y terfysgoedd rhwng 1980 a 1989 ac o leiaf 10,000 ers hynny, tua 200 ohonynt yn feiri lleol. Glynnoedd culion a fforestydd anhygyrch Vilcabamba oedd noddfa olaf teulu brenhinol yr Inca rhag rhaib *conquistadores* Sbaen, a chrud gwrthryfeloedd megis eiddo Tupac Amaru yr Ail, a fabwysiadodd enw llyw olaf yr Inca, yn 1780. Mae yna fudiad terfysgol arall, cyfoes, Marcsaidd-Leninaidd yn dwyn enw Tupac Amaru; wrth sôn am 'derfysgaeth' yng Nghymru heddiw, fe ddylai ambell wleidydd talcen slip gofio fod Meibion Glyndŵr bywiocaf y dychymyg yn debycach i Gymdeithas y Cymod nag i'r rhain.

Yn nyddiau Ifor Rees, derbyniai pawb ddamcaniaeth Hiram Bingham, archaeolegydd o'r Unol Daleithiau, mai Macchu Picchu, ei ddarganfyddiad pwysicaf, oedd pencadlys brenhinol coll Vilcabamba, 'the place that could conceivably have remained the capital of an independent enclave ruled by the descendants of Titu Cusi Yupanqui', chwedl yr hanesydd John Hemming, gan ychwanegu dyfyniad o waith y croniclydd cyfoes Murúa, '[where] the Incas . . . enjoyed scarcely less of the luxuries, greatness and splendour of Cuzco in that distant or, rather, exiled land'. Bellach, daeth y doethion i'r casgliad fod lleoliad a nodweddion Espiritu Pampa, ryw gan kilometer i lawr yr afon, yn cyd-fynd yn well o lawer na Macchu Picchu â thystiolaeth yr hen groniclau: bu Bingham yn y cyffiniau hyn hefyd ond ni sylweddolwyd tan 1965 fod olion cudd yr hen ddinas hon mor eang. Nid oes fymryn o dystiolaeth yn Macchu Picchu ei hun fod y trigolion erioed wedi dod i gyswllt â Sbaenwyr, ond fe oresgynnwyd caer olaf yr Inca ganddynt hwy yn 1539 ac eto, yn derfynol, yn 1572, pan ddienyddiwyd Tupac Amaru, a bu cryn ddylanwad Sbaenaidd ar bendefigion yr Inca cyn hynny: mae tystiolaeth o hyn hefyd yn Espiritu Pampa, gan gynnwys teiliau toi. Nid chwalu dirgelwch Macchu Picchu a wnaeth y darganfyddiadau newydd, fodd bynnag, ond ei ddwysáu. Prin y buasai wedi bod yn bosibl cuddio'r lle rhag y Sbaenwyr oni bai ei fod wedi mynd i ebargofiant eisoes ymhlith yr Inca. Wedi'r cwbl, gyda chydweithrediad un blaid mewn rhyfel cartref y cafodd y Sbaenwyr fynediad i Cusco, prifddinas yr Ymerodraeth Inca, yn y lle cyntaf; ac roedd un o ffyrdd gwych yr Inca yn cysylltu Cusco, a rhes o geyrydd eraill, gyda Macchu Picchu, rhyw bedwar ugain milltir i ffwrdd. Heddiw, nid fel amddiffynfa yn bennaf y rhestrir y gaer: cred rhai haneswyr mai canolfan grefyddol ydoedd, neu encilfa ar gyfer *mamaconas*, 'morynion dethol', merched nid annhebyg i leianod y cysegrwyd eu bywydau i grefydd, neu i'r teulu brenhinol (roedd crefydd a gwladwriaeth yn un ymhlith yr

Inca). Gan ei bod 2,000 o droedfeddi yn is na Cusco ac yn llecyn arbennig o heulog, fodd bynnag, myn eraill mai canolfan amaethyddol ydoedd. Yn ôl y dystiolaeth archaeolegol, rhyw gan mlynedd yn unig, tua throad y bymthegfed ganrif, oedd oes weithredol Macchu Picchu; yn 1532 y cipiodd Francisco Pizarro yr ymerawdwr Atahualpa Inca trwy dwyll, gan ei ddienyddio'r flwyddyn ddilynol, a chyrraedd Cusco ar gyfer coroni Manco, yr etifedd gwrth-Atahualpa, erbyn diwedd y flwyddyn honno. Sut a pham y gallasai dinas mor wych â Macchu Picchu, y wychaf o'i bath, fod eisoes wedi ei bwrw i ebargofiant yr adeg honno? A gafodd ei diarddel fel canolfan gwrthryfel? Ai rhyw bla a ddisgynnodd arni? Prin, o ystyried system economaidd lwyddiannus yr Inca, yr aeth yn rhy ddrud i'w rhedeg.

Dirgelwch mwy sylfaenol yw'r modd y llwyddodd Pizarro ac, ar y cychwyn, lai na dau gant o Gastiliaid, i oresgyn ymerodraeth lwyddiannus a ymestynnai o Ecwador i Ogledd Chile. Gwir fod ganddynt ynnau, powdwr ffrwydro, arfau dur a cheffylau, pethau cwbl ddieithr i'r brodorion – erfyn Dafydd yn erbyn Goliath oedd erfyn effeithiolaf y fyddin Inca. Gwir fod rhyfel cartref rhwng dau frawd wedi rhannu'r ymerodraeth, a bod llawer i lwyth a oresgynnwyd gan yr Inca yn barod i dalu'r pwyth yn ôl trwy gefnogi'r Sbaenwyr. Awgrymwyd hefyd fod dyfodiad y frech wen a heintiau eraill o Ewrop wedi tanseilio amddiffyniad holl bobloedd gwreiddiol De a Gogledd America o'r dechrau. Ar y cyfan, fodd bynnag, ymosod ar wareiddiad uwch roedd y Sbaenwyr, ac ar wladwriaeth arbennig o drefnus ac effeithiol gyda cheyrydd cadarn, storfeydd dihysbydd a rhwydwaith cyfathrebu hynod, er gwaethaf absenoldeb anifeiliaid marchogaeth ac olwynion ac iaith ysgrifenedig. Ac er bod dwy ran o dair o holl gynnyrch y gweithiwr yn mynd i'r awdurdodau, esgusodid ef rhag gwaith trwm yn hanner cant oed, a'r wladwriaeth a'i cynhaliai wedyn. Impiwyd crefyddau natur gwahanol rannau'r ymerodraeth ar grefydd yr Inca hefyd, gan barchu pob *huaca* – pob craig, ffynnon ac ogof gysegredig – fel cynt, yn ogystal ag addoli duwiau'r ffurfafen fel yr haul, yr enfys ac ambell blaned, a chreawdwr y cyfan, Viracocha ('Wiracosia' yn ôl yr ynganiad Cymraeg).

Yn y man sylweddolodd Manco Inca na allai ymddiried yn y Sbaenwyr a dihangodd o'u gafael. Er iddo amgylchu dinas Cusco gyda byddin o 100,000, fan leiaf, a llosgi'r rhan fwyaf ohoni, ni allai oresgyn 190 o Sbaenwyr, fodd bynnag, a dim ond 80 ohonynt yn farchogion: a hyn 11,000 o droedfeddi uwchlaw lefel y môr, a mynydd-dir gyda'r anoddaf yn y byd i'w dramwy rhwng y Sbaenwyr a'u pencadlys ar lan y môr yn Lima. Fel myfyriwr, bu'r nofelydd Mario Vargas Llosa yn cynorthwyo'r awdurdod mwyaf ar groniclau'r cyfnod: ei esboniad ef am y cyfan yw fod y *Tahuantinsuyo*, yr ymerodraeth a'r grefydd Inca, mor dotalitaraidd a biwrocrataidd nes bod ei milwyr a'i thrigolion yn gwbl amddifad o ewyllys unigol rydd a menter: mae'n pwysleisio, er enghraifft, fod byddin Atahualpa wedi rhoi'r ffidil yn y to cyn gynted ag y cipiwyd eu hymerawdwr, a heb wneud yr ymdrech leiaf i ffoi ac osgoi cyflafan. Yng ngeiriau William Prescott, awdur y clasur mawr yn nhraddodiad Gibbon, *History of the Conquest of Peru*, 'The spell was broken, and the airy fabric of their empire, built on the superstition of ages, vanished at a touch.' Ond sut y buasai Gorllewin Ewrop yn ymateb heddiw i ddyrnaid o wŷr o'r gofod gydag arfau pelydrol ac offer trafnidiaeth grymusach a mwy chwim na'n harfau a'n hawyrennau ni, a heintiau dieithr na allai ein cyrff ni ddatblygu ymwrthedd rhagddynt?

Beth bynnag oedd achos goresgyniad yr Inca, pa mor ormesol bynnag y buont hwythau yn eu tro, ni ddaeth y Sbaenwyr yn agos atynt am drefnu digonedd o fwyd i'r holl boblogaeth, nac yn wir am ffyrdd (ar gyfer gyrroedd mawr o *llamas* llwythog) a chrefftwaith ac adeiladu a charthffosiaeth a threfn gyffredinol. Pan gyrhaeddodd y Sbaenwyr Cusco, nododd eu croniclwyr mor eithriadol lân oedd y strydoedd a glannau'r afonydd: ymhen pymtheng mlynedd o lywodraeth Sbaenaidd, roeddent fel cytiau moch. Wedi adrodd nad oedd dinas yn Sbaen i'w chymharu â Cusco am wychder ei heurychwaith – yn waliau cyfan ar y brif deml, Coricancha, yn gerfluniau llawn maint, yn ffynhonnau, yn erddi cyfan o flodau a llysiau aur ac arian, yn ddysglau ac arnynt ddelweddau o'r holl adar, anifeiliaid, pysgod a thrychfilod hysbys, yn fodelau cysegredig o'r haul – y cyfan a wnaeth Pizarro oedd bachu pob mymryn er mwyn ei doddi a'i rannu rhwng ei ddilynwyr, gydag ugain y cant i frenin Sbaen. Chwalwyd y palasau a'r temlau hefyd er mwyn codi adeiladau Sbaenaidd ar eu sylfeini. Mae'r ffordd y cwynai rhai o feirniaid Pizarro fwy ynghylch y fandaliaeth yma nag ynghylch ei greulondeb tuag at bobl yn atgoffa dyn o'r ffordd y gwaredai cynifer o Brydeinwyr cyfoes fwy rhag gwarchae Dubrovnik wych na rhag glanhau ethnig yn yr hen Iwgoslafia. Ni fu unrhyw *apartheid* ffurfiol ym Mheriw, mae'n wir, ond ymhen tair canrif, roedd rhyfeloedd ymhlith y Sbaenwyr eu hunain a rhwng y gwahanol wlad-wriaethau a sefydlasant yn Ne America wedi disbyddu'r cyfoeth diarhebol, ac roedd amodau byw yr Indiaid yn mynd o ddrwg i waeth. Yn wahanol hyd yn oed i ffanatig crefyddol fel Cortés yn Mecsico, rhaib oedd unig nod Pizarro a'i griw. Er gwaetha'i ddewrder goruwchnaturiol a'i ddyfalbarhad, 'Pizarro was eminently perfidious,' yw dedfryd Prescott, '. . . the paradise was converted into a desert'. 'Pizarro was a character of fascinating bestiality, and Lima is a metropolis of heartless charm', ategodd Jan Morris, cyn i'r swyn hwnnw ddiflannu dan ddial cynyddol y diwreiddiedig. Mae campwaith diweddarach John Hemming, *The Conquest of the Incas*, un o'r hanner dwsin o lyfrau hanes gorau imi ei ddarllen erioed, yr un mor ddeifiol ei ffeithiau ynghylch creulondeb Pizarro, er yn garedicach tuag ato fel arweinydd di-ail dan bwysau na ellir eu hamgyffred. Ac er bod Vargas Llosa wedi llyncu celwydd y Sbaenwyr ynghylch prawf Atahualpa am lofruddio ei frawd, ni all yntau edmygu sylfaenwyr ei wlad – gwell ganddo atgoffa'r darllenydd mai cyd-drefedigaethwyr oedd y cyntaf i'w condemnio ac i ochri gyda'r brodorion, yn enwedig y Tad Bartolomé de Las Casas, a aeth mor bell â chanmol y gwrthryfel brodorol yn Vilcabamba, a galw ar frenin Sbaen i adfer y cyfan o Beriw i Titu Cusi, mab Manco. Gallasai Llosa fod wedi cyfeirio hefyd at agwedd neb llai na Francisco de Vitorio, tad cyfraith ryngwladol, gartref yn Sbaen, lle dadleuodd nad oedd gan neb hawl i ddisodli llywodraeth frodorol yn unig oherwydd ei bod yn gwrthod y Ffydd Gristnogol neu awdurdod y Pab. Ni fu'r gwŷr hyn heb ddylanwad ar farn gyhoeddus Sbaen, ond roedd ei llywodraeth yn rhy bell o Beriw i fedru gwneud mwy na lliniaru peth ar yr holl greulondeb, a phentyrru rhagrith ar ben rhagrith. Cysur eithaf nawddoglyd Llosa yw'r tebygolrwydd mai trwyddynt hwy, trwy'r meddwl Ewropeaidd, y daeth hawl yr unigolyn i herio llywodraeth a chymdeithas i Dde America am y tro cyntaf erioed. Yn ôl Marlow yn *Heart of Darkness* Conrad – wrth ystyried rhaib y Rhufeiniaid ym Mhrydain ynghyd â rhaib y Belgiaid yn y Congo – dim ond 'an idea at the back of it . . . and an unselfish belief in the idea' a all fyth achub y concwerwr: deddf y concwerwr oedd unig ysgogiad concwerwyr Periw.

Wrth sefyll ar ben Huayna Picchu, yn ceisio gweld cyrrau Vilcabamba bell yn agos, trwy sbienddrych y Canadiad, ni allwn beidio â meddwl am y Llyw Olaf a'i frawd Dafydd, a Chastell y Bere, a Waun y Bera Mawr, lle cipiwyd Dafydd yn y Carneddau, ac am y ffordd y symudwyd llecyn mor bwysig â phencadlys teulu brenhinol Gwynedd yn Abergwyngregyn oddi ar fap meddyliol y genedl am ganrifoedd. Rwy'n ddigon hen i gofio Castell y Bere hefyd wedi ei guddio'n llwyr dan brysgwydd, a'r addurniadau a gomisiynwyd yno gan Lywelyn Fawr wedi mynd i ebargofiant. O ran twyll a brad, rhagrith ac ymrannu, mae hanes Vilcabamba a hanes Gwynedd yn drist o gyffelyb. Ond o leiaf roedd modd i'r gwahanol ochrau yn hanes Cymru gyfathrebu y tu mewn i'r un gwareiddiad, fwy neu lai, ac i gymedroli a chyfaddawdu yn nhreigl y blynyddoedd, hyd yn oed os oedd yn ddealledig mai grym arfog Lloegr oedd â'r gair olaf. Ym Mheriw, megis yn y rhan fwyaf o Dde America, ni lwyddwyd eto i ddygymod â'r ffaith mai ar drais a dirmyg didostur y sylfaenwyd y gwladwriaethau presennol. Fel y dangosodd Mario Vargas Llosa eto yn ei hoff nofel, *La Guerra del fin del mundo* – a leolwyd ym Mrasil, lle mae'r frwydr yn erbyn yr Indiaid yn parhau – diffyg goddefgarwch, argyhoeddiad cwbl gibddall mai eich rhagfarnau chi yn unig yw realiti, sydd wedi gwenwyno gwleidyddiaeth y cyfandir, hyd yn oed ymhlith deallusion sy'n gyfarwydd â'r ddyneiddiaeth Ewropeaidd. Hunllef i mi oedd realiti bob-dydd tlodion Periw. Breuddwyd a ymylai ar Ynys yr Hud Twm Pen Ceunant oedd yr encilfeydd diogel a ddarparwyd yma ac acw ar gyfer twristiaid cefnog. Dim ond ar ben craig fel Huayna Picchu y gwyddwn pwy oeddwn. Pan ffoniwn adref o Beriw, nid siarad ar draws miloedd o filltiroedd oedd y wyrth, ond medru cysylltu o gwbl â dimensiwn, â realiti, gwahanol.

ૐ

. . . the mobile rich making a blind blundering visitation on the inert poor (Paul Theroux)

Mewn awyren yn perthyn i un o'r cwmnïau bach y teithiais o Lima i Cusco. Cyn cychwyn, aeth y forwyn awyr trwy'r un rigmarôl diogelwch â phetasem yn teithio ar *Swissair* i Zürich, ond beth oedd diben gwregys pan nad oedd y sedd ei hun yn hollol sownd? Gwelwn fod yr hen DC3 wedi perthyn unwaith i *Alitalia* a gobeithiwn y gorau wrth inni godi trwy'r niwl môr sy'n ymledu dros lifeiriant oer Humboldt ac sy'n gorchuddio Lima yn barhaus rhwng Mai a Thachwedd. Ychydig o dwristiaid amlwg oedd yn hedfan. Merched Indiaidd oedd y rhan fwyaf o'r teithwyr, wedi bod yn gwerthu basgeidiau o'u cynnyrch yn y farchnad neu ar y strydoedd yn ôl pob golwg, ac yn gwisgo eu hetiau bowler neu drilbi ffelt neu wellt traddodiadol du, brown neu wyn, a pheth wmbredd o ffedogau ac o beisiau, nes bod golwg mor lydansgwar arnynt â rheng flaen Pont-y-pŵl – argraff a gryfhawyd gan y ffaith fod cynifer ohonynt yn gwisgo sanau ffwtbol trwchus hefyd. Rhannwyd cerdyn i bob teithiwr. O gofio nad oeddem yn glanio yn unman ond Cusco, a heb fod yn croesi ffin gwlad, ni allwn ddeall beth oedd diben yr ymarfer biwrocrataidd hwn, nes i un o'r swyddogion ddechrau bloeddio rhifau dros y cyrn siarad, ac i'm cyd-deithwyr ymateb trwy groesi rhifau allan ar eu cardiau. Wrth i'r awyren lithro heibio i rai o gribau mwyaf ysgithrog yr Andes, weithiau fel petasent o fewn hyd llain criced, chwarae bingo oedd yn mynd â bryd y rhan fwyaf ohonom! Toc, dros Ayacucho, dechreuodd y copaon fynd yn uwch, a'r awyren yn is, er bod y cafnau unionserth oddi tanom yn edrych yn rhy gul i awyren letach na'r rocedi coch yna sy'n dychryn dyn ac anifail wrth saethu i lawr Nant Ffrancon. Agorai cwm cymharol lydan o'n blaenau yn y man, a llain glanio amlwg yn y pen agosaf. Aethom ymlaen ac ymlaen i ben arall y cwm, fodd bynnag, a waliau'r mynyddoedd yn cau amdanom o hyd. Ar y funud olaf, rowliodd yr awyren ar ei hochr a throi megis yn ei hunfan, gan anelu yn ei hôl am y maes awyr. Nid yw glanio yn Kathmandu yn ddim mewn cymhariaeth.

Roeddwn wedi dal ar y cyfle i fwrw draw am ymweliad sydyn â Cusco, a Macchu Picchu, ar fy ffordd i'r Cordillera Blanca, trwy ymuno â thaith grŵp a drefnir yn rheolaidd gan un o gwmnïau teithio mwyaf adnabyddus Lima. Ai oherwydd ofn terfysgwyr, wn i ddim, ond y tro hwn, myfi yn unig oedd y grŵp, fel bod gennyf *aide de camp* personol i ofalu am fy holl drefniadau. Constancia oedd ei henw, merch ifanc wynebwen aelddu, mewn ffrog fach ddu, na ellid credu nad yn Extremadura, fel y brodyr Pizarro, y magwyd hi. Lle bynnag yr âi, cyfarchwyd hi'n gynnes, cusanwyd ei bochau, agorwyd drysau er ei mwyn, a throsglwyddwyd tocynnau iddi heb oedi. Wedi cyrraedd y gwesty, mynnodd fy mod yn cael diod o de dail coca a mynd i orffwys ar fy ngwely am ddwyawr er mwyn cynefino ag uchder Cusco, uchder eithriadol o gofio ei phoblogaeth o 150,000. Dychwelodd yn brydlon i'm tywys i'r gyfnewidfa teleffon gyhoeddus a threfnu galwad i Fethesda, Cymru, imi mewn chwinciad, nes bod hiraeth wedi'm llethu yn fwy na'r uchder am ysbaid. Yna, fe'm tywyswyd o gwmpas prif adeiladau'r ddinas ac amryw o ryfeddodau'r cyffiniau, megis adfeilion castell Sacsahuaman, na allai miloedd Manco Inca rwystro'r Sbaenwyr a'u dilynwyr rhag goresgyn ei furiau cawraidd, pan benderfynodd Hernando Pizarro, hanner brawd Francisco, mai ei unig obaith oedd torri allan o Cusco a gwrthymosod: 8.5 metr yw uchder carreg fwyaf y castell, sy'n pwyso 361 tunnell. Mwy trawiadol fyth yw sylfeini cawraidd, amlonglog yr adeiladau Inca a chwalwyd gan y Sbaenwyr: os na ellir gwthio llafn cyllell rhwng cerrig llyfnion Macchu Picchu, nid âi ellyn rhwng y rhain. Er mor ogleisiol yw gweld pensaernïaeth Sbaenaidd tai ac eglwysi'r Huacaypata (y Plaza de Armas) yng nghanol yr Andes, ac addurniadau ceriwbaidd a *churrigueresque* tra, tra baróc yr Eglwys Gadeiriol ddu, a'r casgliadau mawr o baentiadau olew – gan gynnwys Swper Olaf lle mae'r cwmni yn gwledda ar fochyn cwta, un o ddanteithion Periw – a'r ffordd y trawsfeddiannwyd yr Iesu i'r fath raddau gan Indiaid gorymdeithgar, pwy na chyfnewidiai'r cwbl am un deml Inca gyfan yn ei holl ysblander euraid gwreiddiol? A mwrllwch euog canhwyllog y gorchfygwyr am y goleuni a addaflwyd i'r temlau gan heuliau o aur a lleuadau o arian?

Yn ôl yr argraff gam neu gymwys a gefais wrth wylio Constancia wrth ei gwaith, perthynai i ryw garfan Sbaenaidd bur, tra bod mwyafrif masnachwyr Cusco o dras cymysg ond arferion Sbaenaidd – *mestizos* yw'r term arferol amdanynt – a'r werin dlawd yn Indiaid amlwg, *Quechua* eu hiaith. Rhaid cytuno â Jan Morris mai'r olaf sy'n bennaf cyfrifol am liw hanfodol y ddinas. Iddi hi, roeddent yn debyg i Sherpaid 'llai diofal' ond maen nhw'n debycach fyth i'r Bhotiaid, y Tibetiaid sy'n byw dros y ffin yn Nepal, yn nes i'r Gorllewin na'r Khumbu, sy'n drymach o ran corff ac ysbryd na'r Sherpaid go-iawn, ond sydd heb drwynau Rhufeinig fel llawer o Indiaid. Gwelai Jan Morris debygrwydd rhwng hetiau a sioliau'r merched a'r hen wisg Gymreig, ond mae'r hetiau yn fwy llawn na thal ac roedd het a gwedd ambell un yr un ffunud ag eiddo Mrs Fox, sipsi a arferai werthu pegiau o gwmpas tai Dolgellau pan oeddwn yn blentyn yn ystod y tridegau, ac a barchwyd gan bawb fel aelod o deulu Abram Wood. Ond i ba ddiben y traethaf, a Jan Morris wedi crynhoi Cusco mor frwdfrydig ac mor gain – 'it combines the compulsions of a Stonehenge, a small Seville, and a Kathmandu' – yn 1961, er iddi anwybyddu Macchu Picchu, gwaetha'r modd? Er gwaethaf y rhybuddion cynyddol am ladrad, er gwaethaf yr anesmwythyd gwleidyddol, mae Cusco ar ôl Lima fel Kathmandu ar ôl yr hen Delhi fegerllyd, ac mi roedd y trên cyflym arbennig ar gyfer Macchu Picchu yn dal i redeg, a thocyn ar fy nghyfer drennydd, a stafell yn y gwesty bychan swyddogol, fel y gallwn weld y lle yn iawn ar ôl i deithwyr y Sadwrn adael am ddau, a chyn i deithwyr y Sul gyrraedd am hanner awr wedi deg.

Wedi i'r teithwyr grŵp a'u bugeiliaid adael y dechreuwch ildio i gyfaredd Macchu Picchu, ac i'w thrasiedi. O'r llond pedwar bws mini a oedd wedi igam-ogamu bedair gwaith ar ddeg i fyny o'r orsaf ar y gwaelod, dim ond pedwar ohonom oedd ar ôl. Yng ngolau'r machlud, cerddasom draw ar hyd yr hen briffordd Inca cyn belled ag Intipunku, porth yr haul, lle roedd adar y su amryliw yn dal i sugno neithdar rhyw flodau melyn tal, ac ambell fintai o barotiaid gwyrdd yn hedfan adref. Y ffordd yma, ar hyd 'Llwybr yr Inca', dros dri bwlch yn tynnu at bedair mil ar ddeg o droedfeddi o ran uchder, trwy ranbarth cyfan o adfeilion a baddonau defodol hanner coll, a ffriddoedd bythol flodeuog o degeiriannau coch, melyn neu fioled, y dylid cyrraedd Macchu Picchu, ar droed, os oes amser gennych, gan adael y trên ryw bedwar diwrnod i ffwrdd. Yn ôl yn y gwesty, er bod popeth yn batrwm o syberwyd, roedd rhyw awyrgylch nerfus, a'r rheolwr a'r staff yn dawedog a braidd yn surbwch: Indiaid llyfnach y fforestydd trofannol oeddent, mi gredaf, o dras gwahanol i'r Indiaid mynydd. Ar un ochr i'r bar crwn, roedd tri neu bedwar o Americanwyr Gogleddol wedi mynd i yfed gormod: roedd mwy o olwg daearegwyr olew arnynt nag o archaeolegwyr, ond wyddoch chi byth y dyddiau hyn. Yr ochr arall, roedd Ed a'i wraig, a hanai o Ganada, ond a oedd yn gyfrifol bellach am weinyddu rhyw fath o genhadaeth efengylaidd o'r Unol Daleithiau ar ddwy ochr y Môr Tawel, a'r Wilhelmina *elegant*, a oedd yn amlwg am osgoi'r Americanwyr – a minnau. Nid oedd Ed wedi rhoi cynnig ar y fendith cyn cinio ac roedd yn haws ei ddychmygu'n llunio adroddiadau i'r CIA nag apeliadau i'r *Tyst*. Gwyddwn fod yna enwad ffwndamentalaidd wedi bod yn hybu trawsfeddiannu tir llwythau cyntefig ym Molifia ac ymateliais rhag chwilio ei bac diwinyddol. Eglurodd Wilhelmina fod ei chariad wedi aros yn Cusco gyda salwch stumog, ond ei bod hithau'n amharod i golli Macchu Picchu ar ôl dod mor agos. Roeddwn wedi sylwi arni wrth i'r arweinydd swyddogol dywys corff yr ymwelwyr o gwmpas yr adfeilion; gwisgai'n fwy trwsiadus na'r Americanwyr Gogleddol, ac yn fwy ffasiynol nag Americanwyr y De, heb sôn am y Siapaneaid – tua thraean y fintai, gyda'u cyfieithydd eu hunain. Ar wahân i mi, gyda'm holi anochel ynghylch tynged y *Quechua*, hyhi yn unig a ofynnai gwestiynau caled (sut y gallai Macchu Picchu fynd ar goll, ac un o briffyrdd yr

Inca yn arwain ato yn unswydd?). Nyni oedd yr unig ddau Ewropead yno, yn amlwg, ac eto roedd yn syn gennyf glywed mai o'r Iseldiroedd yr hanai. 'Head hunting' oedd ei hateb heriol ynglŷn â'i galwedigaeth ac yn sydyn meddyliais am Ynysoedd Môr y De – roeddwn ar y trywydd: Iseldirwr oedd ei thad, yn yr Iseldiroedd y'i magwyd, ond Indoneses oedd ei mam. Nid cellwair yr oedd ynglŷn â hela pennau, fodd bynnag: gweithiai i gwmni o ymgynghorwyr penodi a wasanaethai Ewrop gyfan o Frankfurt, 'and my boyfriend is also my boss'. Ac yno y buom, ar drothwy a than leuad Macchu Picchu, i gyfeiliant trydar is-drofannol ceiliogod rhedyn a llyffaint, yn trafod cryfderau a gwendidau Hay MSL, Coopers and Lybrand, Deloittes, a phroblemau personél ambell sefydliad Ewropeaidd yn Strasbourg, Luxembourg a Brwsel, fel hen lawiau yn sipian wisgi mewn lolfa dosbarth cyntaf ar faes awyr rhyngwladol Schiphol! Ac unwaith eto, ymatal oedd biau hi, ymatal rhag holi am Indonesia, a'r ffordd yr oedd ymerodraeth fodern, filwrol Java, dan fendith yr Unol Daleithiau a heb wrthwynebiad Awstralia, yn lledu trwy'r ynysfor cyfan, gan ladrata tiroedd cannoedd o hilion gwahanol heb iawndal, gan reibio aceri o fforestydd trofannol, difa mynyddoedd pum mil metr cyfan er mwyn eu metalau, lladd traean o boblogaeth Dwyrain Timor wrth drawsfeddiannu'r hen drefedigaeth hon pan roddodd Portiwgal ei rhyddid iddi, a thrin cymdeithas fwyaf materol-gyntefig yr holl ynysoedd mor ddidrugaredd ag y trafodwyd y Sioux a'r Cherokee – a'r Inca – erioed. Bellach, cofnodwyd enghreifftiau manwl o'r hanes gan y Cymro, Norman Lewis, mewn cyfrol gytbwys ond ysgytwol, *An Empire of the East: Travels in Indonesia*; dyna sut y gwn eu bod wedi dal Xanana Gusmao, llyw olaf byddin rhyddid Dwyrain Timor, o'r diwedd, ei roi ar brawf a'i garcharu am oes.

Wrth ddychwelyd ar y trên moethus, trosglwyddwyd ni ymhell o'r byd sydd ohoni. A Beeching wedi cau'r lein o Riwabon, trwy Edeirnion werdd, ar hyd Llyn Tegid, dros y Garneddwen i Ddolgellau, ac ar hyd ac ar draws moryd Afon Mawddach i Bermo, prin fod taith drên harddach na hon ar y Ddaear. A minnau wedi ymgolli yn y gymhariaeth rhwng un o is-gopaon

Veronica a Chraig y Castell uwchben Llyn Penmaen, dyweder, byddai cyffyrddiad ysgafn ar fy llewys yn siŵr o dynnu fy sylw at adfeilion rhyw deml neu leiandy Inca ar draws yr afon ar ochr Wilhelmina, ac enw arallfydol fel Choquesuysuy neu Q'ente yn ei llawlyfr. I gychwyn, roedd miloedd o droedfeddi o glogwyn noeth o boptu'r afon a'i feini gwynion, yna cafwyd lle i goed bambŵ, a thyfiant rhy ecsotig o redynllyd neu fwsoglyd i'w enwi, a hen derasau, ac yna ambell gwm crog torcalonnus o ddeniadol yn arwain at fylchau uchel a chribau addawol. Yn ôl cyfrol a gyhoeddodd ugain mlynedd yn ddiweddarach, i fyny un o'r cymoedd hyn yr aeth un o feistri rhyddiaith daith Saesneg, Patrick Leigh Fermor, yn 1971, er mwyn rhoi cynnig ar rai o'r copaon is yng nghyffiniau Salcantay, dan arweiniad Robin Fedden: cenfigennaf wrtho am ei daith − ni allaf feddwl am ddim byd llai bydol a mwy buddiol − ac am ei ddawn, ond siomedig braidd yw'r gyfrol, *Three Letters from the Andes*, o'i chymharu â hanes cyfareddol ei daith o Hoek van Holland, ar hyd Rhein a Donaw, i Rwmania, yn ddeunaw oed. A yw rhigolau rhyngwladol Periw heddiw yn llai dieithr i'r dosbarth proffesiynol nag oedd Awstria neu Hwngari cyn yr Ail Ryfel Byd?

Ar hyd tair awr a hanner y daith, daeth miwsig chwaethus dros y cyrn siarad, cerddoriaeth Inca ganol-y-ffordd fel 'El Cóndor Pasa' ran amlaf, fel y gweddai, ond hefyd, bob hyn a hyn, symudiad araf unfed consierto ar hugain Mozart i'r piano − yr Elvira Madigan bondigrybwyll, o'i ddefnyddio fel thema ffilm am garwriaeth ofer pendefig ifanc o Sweden a Gwyddeles a gerddai'r rhaff dynn mewn syrcas − ac, o bopeth ar y ddaear, cerddoriaeth chwerw-felys, atgofus, cyfres y BBC ar fywyd Lloyd George: ni ellwch byth ddianc rhag Gwynedd. Na Lloegr chwaith. Nid oedd llawer o bobl yn y cerbyd ac o'n blaenau tarfai llais benywaidd Seisnig uchel ar *virtual reality* y golygfeydd ysblennydd, gan draethu mor awdurdodol ag unrhyw lawlyfr, ac ychwanegu 'This is the seventeenth time I've been here − the romance never fails'. Teimlwn fy mod wedi clywed rhai o'i chynghorion o'r blaen, air am air. O'r diwedd cydiais yn fy nghopi o *Backpacking and Trekking in Peru and Bolivia* a mynd i ganlyn y llais. Roeddwn I'n iawn: Hilary Bradt, un o'r cyd-awduron, gŵr a gwraig sy'n treulio'r rhan fwyaf o'r haf ym Mheriw ers blynyddoedd, oedd biau'r llais ac mae ei llofnod gennyf ar y llyfr. Erbyn imi ei holi am y sefyllfa derfysgol ddiweddaraf yn y Cordillera Blanca, roeddem yn nesáu at Ollantaytambo, caer enfawr lle rhwystrodd Manca Inca ymosodiad Sbaenaidd trwy droi afon i'r dolydd oddi tani, nes eu bod yn rhy wlyb i geffylau. Yma hefyd y carcharwyd gwraig Manco, Cura Ocllo, pan oedd ei gŵr yn dal ei afael ar gadernid Vilcabamba. A Manco yn gwrthod trafod rhoi'r gorau i'r frwydr, dinoethwyd a chwipiwyd Cura, ar orchymyn Francisco Pizarro, a'i dienyddio â saethau. Yna anfonwyd ei chorff i lawr yr afon ar rafft at Manco. Ac eto, roedd Pizarro a'i swyddogion wrth eu bodd yn byw gyda thywysogesau Inca, ac ambell waith yn eu priodi: mab anghyfreithlon i un ohonynt oedd hanesydd cynnar mwyaf adnabyddus y goresgyniad, Garcilaso de la Vega, a anfonwyd i Sbaen pan oedd yn ugain oed. Yn ôl Hemming, mae ei *Comentarios reales* yn gampwaith llenyddol, ond heb fod yn rhy ddibynadwy fel hanes: gwell ganddo ef gronicl a lefarodd Titu Cusi ap Manco ar gyfer brenin Sbaen, a llawysgrif a ailddarganfuwyd yn 1945, a'i chyhoeddi yn 1962, *Historia general del Perú, Orígen y descendencia de los Incas*, gan y Tad Martín de Murúa, a fedrai *Quechua* ac a gydymdeimlai â'i gyfeillion Inca brenhinol. Ond dyna ddigon o esgyrn sychion hanes wrth i'r trên ddechrau dringo allan o'r Dyffryn Cysegredig i gyfeiliant Mozart, ac i un o fachludoedd enwog yr Andes dywallt stôr o liwiau rhudd dros wastadedd uchel y *puna*, lle'r oedd enfys ddi-fwa o fioled, porffor a rhosliw yn ymestyn rhwng ffurfafen lwydlas olau a'r caeau bach melyn, gwyw a batrymai'r llethrau, gydag ambell goeden ewcalyptws yn amlwg yn erbyn tynerwch y gwyll. Am hydoedd ar ôl i'r haul fynd o'r golwg, cyniweiriai rhyw wawr a fuasai wedi bod yn gaddug oni bai bod y mymryn lleiaf o goch tywyll i'w weld yn aros yn y ddaear fudr, a rhywfaint o binc ar y Cordillera Vilcanota draw i'r de-ddwyrain, lle mae Auzangate yn cyrraedd uchder o 6372 o fetrau. Yna doedd dim ond amlinell finiog pinaclau duon yn erbyn awyr serennog.

Wn i ddim pa gasgliad y buasai Merched y Wawr Llanllechid

wedi ei dynnu pe baent wedi fy nal yn cyfnewid Wilhelmina am Constancia ym mwrlwm gorsaf Cusco, lle'r oedd gyrwyr cerbydau'r gwestai mwyaf ar flaenau eu traed rhag i'w cwsmeriaid breintiedig ddiflannu i'r dorf fegerllyd, garpiog. Gwelais amcangyfrif fod 80 y cant o'r twristiaid ar y trên nos rhwng Arequipa a Puno yn profi lladrad, a chwynodd pob twrist a holais ei fod wedi colli rhywbeth mewn tyrfa, yn aml yn ddiarwybod, megis oriawr wedi ei thorri o'r addwrn ag ellyn. Roedd Constancia, chwarae teg iddi, wedi cymryd o ddifri fy nymuniad i glywed peth o gerddoriaeth gynhenid y fro. Erbyn naw o'r gloch roeddwn yn eistedd wrth fwrdd yn *pena* – clwb nos – El Truco, ar fy mhen fy hun. Toc, daeth y rheolwr o gwmpas gan osod baneri bychain ar y byrddau yn ôl cenedligrwydd y gwesteion. Gosododd Jac yr Undeb o'm blaen innau a gofynnais yn garedig iddo ei symud gan mai Cymro bach oeddwn i. O ystyried ei phellter o Beriw, roedd ei wybodaeth ynghylch daearyddiaeth wleidyddol ffurfiol y Deyrnas Unedig yn gymeradwy o gywir. Fe'm hatgoffodd yn Sbaeneg ac yn Saesneg fod Cymru yn rhan ohoni, a bod prinder o Ddreigiau Cochion yn Cusco. Dim ond ar ôl imi dynnu stumiau go fygythiol y bodlonodd ar noethni fy mwrdd. Gydag i'r sioe gychwyn, anghofiais bob anghydfod, a phob hiraeth ond hiraeth cynhenid y gerddoriaeth Inca unigryw leddf, sydd bellach yn cnoi fy nghalon bob tro y clywaf fand o'r Andes. Y *sicus*, efallai, yw offeryn mwyaf nodweddiadol band Andeaidd, rhyw bibau Pan o wahanol hydoedd, ond ymhlith yr offerynnau chwyth eraill mae'r *quena*, math o bicolo syml a'r *moceño*, sy'n debycach i glarinet. Yna mae'r *charango*, mandolin wedi ei greu o gragen *armadillo*, a drwm mawr dwyochrog. Ar wahân i'r offerynnau llinynnol, a pheth dylanwad Lladin, mae'r traddodiad yn ymestyn yn ôl i'r ymerodraeth Inca o leiaf, ond tybed a oedd mor lleddf yr adeg honno, a'r offerynwyr ymroddgar â golwg mor bell ar eu hwynebau.

Disodlwyd yr Indiaid gan fand hil gymysg yn canu *criolla*, math o *salsa* Lladin-Americanaidd yn y bôn, gyda blas Inca ar ambell eitem, a dylanwad cyflymach *chicha*'r jyngl neu *musica negra* glannau môr Periw ar eraill. Ni chlywais erioed fand mor frwdfrydig, na'r fath orchestwaith ar y *cajones*, drymiau bach fel stoliau, nad edrychent fawr gwell na bocsys pren, a dyn gwyn tebyg i glerc pwyllgor diuchelgais, a dyn du gloywddu, yn eu dobio am y gorau â chledrau eu dwylo, ar eu heistedd o boptu'r gantores, heb wên yn y byd ar eu hwynebau. Ond y gantores oedd yn sgubo'r gynulleidfa – Marlyn Pacheco, a allasai fod yn ddeg ar hugain hen, neu yn hanner cant ifanc, ond a ganai â thrydan nad yw'n bosibl ei drosglwyddo i dâp. Ar ôl dyrnaid o ganeuon, cyhoeddodd fod y rheolwr am iddi gyfarch y gwesteion tramor fesul gwlad. Gwahoddodd ni i godi ar ein traed yn ein tro, yn null seremoni Cymry ar Wasgar yr Eisteddfod Genedlaethol. Roedd cynrychiolaeth o nifer go lew o wledydd, er mai o'r Unol Daleithiau y deuai hanner y gwesteion, a mwy na hanner y gymeradwyaeth a roddwyd i bawb. Cododd dau ddyn ifanc yn enw'r Deyrnas Unedig, a chawsant ambell glap, wedyn cwpwl canol oed o Venezuela, gwlad nid amhoblogaidd yn ôl y sŵn, ac yna, ar ddiwedd y rhestr – chwarae teg i'r rheolwr wedi'r cwbl – '*Wales*'. Codais ar fy nhraed, gwenodd Marlyn Pacheco ei gwên fwyaf serchog oll arnaf ac, er mai fi sy'n dweud, derbyniais fanllef o gymeradwyaeth fwyaf y noson o bell ffordd – efallai oherwydd fod Rhyfel y Malvinas yn dal yn y cof – a daeth amryw o'r Unol Daleithiau draw i ysgwyd llaw, rhai ohonynt yn hawlio cysylltiadau annelwig â'r hen wlad. Yna cyflwynodd Marlyn ddisgybl yn yr un traddodiad â hi, Angélica: yr oedd gwell llais gan Angélica na Marlyn, a gwell graen arni yn gyffredinol, ond nid oedd eto wedi magu cymaint o dân a thrydan – rhyw Doris Arfon efallai, ac y mae hynny'n gompliment, yn ymyl Telynores Dwyryd yn ei hanterth digywilydd tua diwedd y pedwardegau; rhyw Eirian James – compliment mawr eto – yn ymyl Gwyneth Jones. Wedi canu, daeth Angélica o gwmpas y byrddau i werthu casetiau. Pan eisteddodd gyferbyn â mi, anghofiais bob gair o'r cwrs Sbaeneg Americanaidd a ddilynais ar recordiau, ond cawsom sgwrs fach fonheddig yn Ffrangeg ac mae'r casét yn dal gennyf, er mor egwan yw o'i gymharu â'r hyn a glywais yn y cnawd. Daeth Marlyn yn ôl a chododd y brwdfrydedd yn uwch eto. Y fath wefr wrth sôn am San Miguel de Piura – y Llanfihangel Bachellaeth dragwyddol! Y fath felyster gofidus yng nghytgan y gân araf, 'Quizás, Quizás, Quizás' – efallai, efallai, efallai! Y fath gystadleuaeth cyflymu rhwng *cajones* cleciog a chantores! Ond roedd un uchafbwynt eto cyn diwedd act mwyaf abswrd fy melodrama fach. Yn ystod yr egwyl nesaf, daeth un o'r dynion ifanc o'r Deyrnas Unedig draw i ysgwyd llaw. 'I want to thank you,' meddai, 'I'm a Welshman too, though I don't speak Welsh. I wish I'd had the guts to join you.' Gofynnais iddo a oedd ar ei wyliau. Nac oedd. Dyna oedd y pwynt. Roedd ef a'i gydymaith o Sais yn ymweld â'r rhan fwyaf o wledydd De America ar ran y Cyngor Prydeinig. Tenor oedd y Sais, a'r Cymro oedd ei gyfeilydd. Beth oeddent yn ei ganu? Dim ond un gwaith – 'Die Winterreise: do you know it?' Oni bai fy mod yn dychwelyd i Lima, mae'n siŵr y buaswn wedi mynd i gefnogi fy nghydwladwr y noson wedyn: cefais ras ymatal rhag awgrymu mai trethdalwyr Awstria a ddylai fod yn talu am ei daith.

෫෪

Yo vengo a hablar por vuestra boca muerta
(Pablo Neruda)

Flynyddoedd wedyn, rhyw hirnos aeaf dduoer pan oedd hi'n llawer twymach yng nghegin Ty'n Llidiart nag ar ben Cadair Idris, taflu fy ffotograffau o Macchu Picchu ar y wal yr oeddwn i, gan nad âi o'm cof y gweledigaethau a welais ym Mheriw, ac weithiau darllenwn ran o gerdd Pablo Neruda, *Alturas de Macchu Picchu*, gyda chymorth cyfieithiad Harri Webb i'r Gymraeg. Gwelwn fel yr oedd y gefnen y saif Macchu Picchu arni yn feinach nag ydoedd yn fy nghof, ac felly hefyd yr holl gribau amgylchynnol, a'r bwtresi hedegog serth, pinaclog a ddisgynnai o'r cribau, ugeiniau ohonynt. Sylweddolwn hefyd fod cewri gwynion y gorwel yn uwch ac yn ddisgleiriach nag y cofiais, fel cylch newydd ar fonyn ymwybyddiaeth, ac eto nad oedd terfyn ar gyflawnder y ffurfafen las o'u cwmpas. Ei safle, yn sicr, yw prif hynodrwydd Macchu Picchu. Dinas a osodwyd ar fryn ond a guddiwyd hefyd o'r gwaelodion. Anodd ei chymharu ag adfeilion cerrig eraill adnabyddus hyn o fyd. O'i chymharu â chromlechi cynoesol Cymru, a'r Pyramidiau, a hen demlau Mecsico, a gorchestion Groeg a Rhufain, dinas ifanc iawn yw hi. Mae'n iau na'r rhan fwyaf o eglwysi cadeiriol syfrdanol uchel ac anghymharol gywrain Gorllewin Ewrop, heb sôn am y ddinas ddirgel arall honno, Hen Zimbabwe, gyda'i waliau tal, troellog, swynol o gerrig cymharol fychain, lle trigai 10,000 yn barhaus, o gymharu â rhyw fil ym Macchu Picchu. A chan fod yn well gan yr Inca addurno'u hadeiladau, a'u dillad seremonïol, ag eurychwaith na cherfio cerrig, fel rhai o'u rhagflaenwyr, mae cymhariaeth yn anodd. Ar y cyfan, mae cerdded o gwmpas y waliau mud, trwsiadus, diderfyn yn dwyn i gof stafelloedd byw hen abatai mawrion fel Rievaulx. O bell, ac ar y gefnen, fodd bynnag, mae'r llymder a'r llinellau glân a'r ffenestri trapesoid yn ymddangos yn fodernaidd, a'r cyfanwaith terasog megis treflan newydd o waith rhyw Corbusier Andeaidd. Nid cerddoriaeth ramantus a fyddai'n gweddu yma, ond dieithrwch cynnil Stravinsky'r *Apollon Musagète*, neu ffidil unig *Mythes* Szymanowski, neu – wrth i'r dydd golli ei ieuenctid, i'r rhubanau niwl ddechrau codi o'r peiriau mwsoglyd isod, ac i sibrydion ynghylch aberthau dynol i'r duwiau ddod ag ias i'r tes – chwibanu a seinyddiaeth daro crasurddasol Messiaen.

Ond beth am yr adeg pan oedd y lle yn llawn prysurdeb gwaith a defod, a llafarganu uwch na rhu'r afon fawr isod? Prysurdeb cwch gwenyn neu nyth morgrug a ddaw i'r dychymyg wrth ystyried y criwiau enfawr yr oedd eu hangen i lusgo ac i godi ac i osod cerrig y mae dull eu trafod yn codi mwy o gwestiynau na Chôr y Cewri, yn wyneb natur y tir a'r adeiladau ac absenoldeb yr olwyn, os nad y pwli. Cyd-ddyheu a chyd-weithio y gweithwyr adeiladu gynt yn eu cannoedd a drawodd y bardd mawr Pablo Neruda pan ddychwelodd i Dde America yn 1943, wedi un mlynedd ar bymtheg o grwydro'r byd yng ngwasanaeth diplomataidd Chile, ac ymweld â Macchu Picchu am y tro cyntaf. Daeth i deimlo'n 'ddi-ben-draw o fychan' yng nghanol yr uchel ogoniant, ac eto yn rhan ohono: 'Teimlais fod fy nwylo innau wedi llafurio yno ar ryw adeg bellennig, yn palu ffosydd, yn llyfnu'r creigiau. Teimlais fy mod yn perthyn i Chile, i Beriw, i America. Ar yr uchelderau anhydrin hynny, ymhlith yr adfeilion gogoneddus, gwasgaredig hynny, roeddwn wedi darganfod egwyddorion y ffydd yr oedd arnaf ei hangen i barhau gyda 'marddoniaeth.' Dyna sylfaen *Alturas de Macchu Picchu*, cerdd fwyaf Neruda, sy'n cychwyn gyda phum caniad tywyll ddigon am ei ymchwil am ystyr bywyd, caniadau sydd, yn ôl y cyfarwydd, yn crynhoi themâu ei waith blaenorol. Yna, wrth iddo esgyn i Macchu Picchu, mae'r dyfodol a'r gorffennol yn cyd-gyfarfod ac yn uno, a'r darnau oll yn disgyn i'w lle. Yno, gallai dynion fyw'n arwrol mewn cytgord â'i gilydd ac â natur, gan draddodi treftadaeth dragwyddol i'r oesoedd a ddêl, yn lle dihoeni'n araf fel robotiaid, yng nghanol diflastod unig y ddinas gyfoes. Un tranc ar y cyd, fel hydref, a fu yma, ond . . . *pero* . . .

> Pero una permanencia de piedra y de palabra:
> la ciudad como un vaso se levantó en las manos
> de todos, vivos, muertos, callados, sostenidos
> de tanta muerte, un muro, de tanta vida un golpe
> de pétalos de piedra: la rosa permanente, la morada . . .

Ac yng nghyfieithiad cynnil ond anochel annigonol Harri Webb:

> Erys eto y maen a'r gair
> llestr o ddinas a ddyrchafwyd
> yn nwylo pawb, y byw a'r meirw,
> cymaint o farwolaethau sy'n ei chynnal
> megis mur, a chymaint o fywyd, ergyd
> o ddiliau maen: rhosyn tragwyddol, cartref . . .

Cymharwyd hyn oll â'r 'still point of the turning world' yn 'Burnt Norton', cerdd o'r un cyfnod:

> Not the stillness of the violin, while the note lasts,
> Not that only, but the co-existence,

Or say that the end precedes the beginning,
And the end and the beginning were always there . . .

Ond amser yw testun Eliot ac ystyr yw testun Neruda. Cawn ganddo ddau ganiad arall o fawl, yr ail yn hynod debyg i dair brawddeg a deugain o ddyfalu gan un o'n cywyddwyr mawr ni, yn cyffelybu Macchu Picchu i wrthrychau mor wahanol â llyfr, eryr, colomen, ceffyl yn y lleuad, pawennau piwma, swigen, neidr, storm, rhaff, a phaill, ac yn gorffen:

> Volcán de manos, catarata oscura
> Ola de plata dirección del tiempo.

(Llosgfynydd dwylo, rhaeadr dywyll./Ton arian, cwrs amser.)

Yna mae'r bardd yn dechrau holi tybed a oedd y dynion a gododd y cerrig yn gweithio dan ormes, wedi'r cwbl, ac yn dioddef newyn. Dyn sy'n bwysig, a brawdgarwch, a rhannu profiad:

> . . . el hombre es más ancho que el mar y que sus islas,
> y hay que caer en él como en un pozo para salir del fondo
> con un ramo de agua secreta y de verdades sumergidas.

(. . . mae dyn yn fwy na'r môr a'i holl ynysoedd,/rhaid imi syrthio ynddo fel ffynnon a dod allan/â chainc o ddŵr cyfrin a gwirioneddau cudd)

Yn y caniad olaf o'r deuddeg, geilw ar grefftwyr Macchu Picchu i ddangos iddo safleoedd eu dioddefaint (mae'r cyfeiriad crefyddol yn fwriadol) er mwyn iddo fedru siarad drostynt: 'Dame la mano desde la profunda/zona de tu dolor diseminado' (Rho dy law o'r dyfnder/a heuwyd gan dy drallodion). Yn niweddglo'r gerdd, mae'n dal i'w hannerch â phum brawddeg a wahanwyd, y naill oddi wrth y llall, fel *coda*'r math o symffoni mawreddog sy'n cael trafferth i derfynu:

Dadme el silencio, el agua, la esperanza.

Dadme la lucha, el hierro, los volcanes.

Apegadme los cuerpos como imanes.

Acudid a mis venas y a mi boca

Hablad por mis palabras y mi sangre.

(Rhowch imi ddistawrwydd, a dŵr, a gobaith./Rhowch imi'r frwydr, yr haearn a'r llosgfynyddoedd./Dewch yn fagnetig ataf./Brysiwch i'm gwythiennau a'm gwefusau./Llefarwch yn fy ngeiriau ac yn fy ngwaed.)

Meddyliwn am ddisgynyddion y crefftwyr a'r llafurwyr hyn, dan lwythi mawr ar bafinoedd Cusco, ar bennau'i gilydd yn y trenau araf a oedd gymaint yn llai moethus nag ecsprés y crachach, yn llawn amynedd ofer wrth aros i werthu gwniadwaith alpaca rhyfeddol ar ochr y lein, yn sarrug wrth weini yn y gwesty neu'n surbwch mewn mân swyddi – ac yn hogiau ifanc llawn sbonc a hwyl wrth rasio'r bws i lawr i'r glyn, gan dorri digon o'r corneli diddiwedd i ennill llawer i gildwrn. Nid y concwerwyr gwreiddiol sy'n gyfrifol am ddarostyngiad y bobl hyn, yn ôl Vargas Llosa: 'Nyni a'i gwnaeth; nyni yw'r *conquistadores*.' A ninnau'r ymwelwyr, helpu'r economi neu beidio? A minnau, yn or-ŵyr i saer maen o Lanfihangel Aberbythych? Ni ellid disgwyl na dymuno i ŵr Sbaeneg ei fagwraeth o'r glannau sgrifennu yn Quechua ond o leiaf y mae Llosa yn cydnabod mai'r bwlch economaidd enfawr rhwng dau ddiwylliant De America, y gwreiddiol a'r gorllewinol, sy'n golygu na allant gysylltu â'i gilydd heb i'r cyntaf droi cefn ar ei etifeddiaeth, yn y dinasoedd, neu ar bob mantais cyfoes, yn y wlad – a bod angen synthesis newydd ar sail nodweddion gorau'r ddwy gymdeithas. Troes Llosa ei gefn ar wleidyddiaeth asgell chwith ei ieuenctid a safodd fel ymgeisydd marchnad rydd – os gwleidyddol ryddfrydig – am lywyddiaeth Periw yn fuan ar ôl traddodi'r geiriau uchod. Comiwnydd fu Neruda o gyfnod Rhyfel Cartref Sbaen hyd ei farwolaeth, naw niwrnod ar ôl cwblhau ei hunangofiant, a deuddeng niwrnod ar ôl llofruddiaeth Allende, yn 1973. Nid fel cerdd Gomiwnyddol y dylid ystyried *Alturas de Macchu Picchu* yn bennaf, fodd bynnag, ond fel cerdd Americanaidd wrth-drefedigaethol, fel cyfraniad at y synthesis, fel cynnig i sicrhau bod enwau fel Periw yn golygu rhywbeth i fwyafrif ei thrigolion, a De America gyfan yn ymryddhau oddi wrth Ogledd America yn ogystal ag oddi wrth Ewrop. O'm rhan fy hun, rwyf yn dal i ryfeddu mor debyg i blaned arall na wyddwn am ei bodolaeth yw De America, ei Sbaendod hen a newydd yn ogystal â'i theyrnasoedd coll. Dim ond wrth i Neruda droi cnawd marw Macchu Picchu yn air byw, gan greu yn frodyr iddo 'Siôn Saer Maen ap Wiracosia, Siôn Tamaid Oer ap y seren werdd, Siôn Droednoeth nai i'r maen glas,' chwedl Harri Webb, y gallaf ddygymod â'm hatgofion yn llwyr, a'u cyfrif fel rhywbeth amgenach na ffantasi. Dim ond ar dudalennau Prescott, y cyfreithiwr hanner dall o Boston, yr Undodwr y bu ei daid yn amlwg ym mrwydr Bunker Hill, ac ar dudalennau ei olynydd teilwng o Sais, John Hemming, lladmerydd Vilcabamba, y gallaf deimlo llygedyn o obaith y bydd cyfiawnder ryw ddydd ym Mheriw. Prin y gallaf honni fy mod bellach yn edrych draw mewn hiraeth tua Vilcabamba bob tro y cyrhaeddaf gopa rhyw Huayna Picchu gysegredig yng Nghymru neu yn yr Alpau. Cywirach cydnabod mai i gyfeiriad Vilcabamba y bûm yn syllu o ben pob mynydd, ers y dyddiau pan welais Eryri gyntaf o gopa caerog Foel y Faner, o lethrau Cadair Idris rhwng Llyn Gwernan a Llyn Gafr, ac – yn anad unlle – trwy ddrws uchel, cyfyng, Bwlch y Rhiwgyr yn Ardudwy, heb fod nepell, ond odid, oddi wrth fynydd y Bardd Cwsg. 'El reino muerte vive todavía' – Mae'r deyrnas farw yn fyw o hyd.